# 编前语

## 文章五诀

梁衡

一篇文章怎样才好看呢？先抛开内容不说，手法必须有变化。最常用的手法有描写、叙事、抒情、说理等。如就单项技巧而言，描写而不单调，叙事而不拖沓，抒情而不做作，说理而不枯燥，文章就算做好了。但更多时候是这些手法的综合使用，如叙中有情，情中有理，理中有形，形中有情，等等。所以文章之法就是杂糅之法，出奇之法，反差映衬之法，反串互换之法。文者，纹也，花纹交错才成文章。古人云：文无定法，行云流水。这是取行云流水总在交错、运动、变化之意。文章内容空洞，言之无物，没有人看；形式死板，没有变化，也没有人看。

变化再多，基本的东西只有几样，概括说来就是：形、事、情、理、典五个要素，我们可以称之为“文章五诀”。其中形、事、情、理正好是文章中不可少的景物、事件、情感、道理四个内容，又是描写、叙述、抒发、议论四个基本手段。四字中“形”“事”为实，“情”“理”为虚，“典”则是作者知识积累的综合运用。就是我们平常与人交流，也总得能向人说清一个景物，说明白一件事，或者说出一种情感、一个道理。所以这四个字是离不开的。因实用功能不同，常常是一种文体以某一种手法为主。比如，说明文主要用“形”字诀，叙述文（新闻亦在此列）主要用“事”字诀，抒情文主要用“情”字诀，论说文主要用“理”字诀。

正如一根单弦也可以弹出一首乐曲，只跑或跳也可以组织一场体育比赛。但毕竟内容丰富、好听、好看的还是多种乐器的交响和各种项目都有的运动会。所以无论哪种文体，单靠一种手法就想动人，实在很难。一般只有“五诀”并用才能做成斑斓锦绣的五彩文章。试用这个公式来检验一下名家名文，无不灵验。范仲淹的《岳阳楼记》是一篇《记》，但除用一二句小叙滕子京谪守修楼之事外，其余，“霪雨霏霏”“春和景明”都是写形，“感极而悲”、“其喜洋洋”是写情，而最后推出一句震彻千年的大理“先天下之忧而忧，后天下之乐而乐”。形、事、情、理，四诀都已用到，文章生动而有深意，早已超出记叙的范围。梁启超的《少年中国说》是一篇讲国家图强的论文，但却以形说理，一连用了“老年人如夕照，少年人如朝阳。老年人如瘠牛，少年人如乳虎。老年人如僧，少年人如侠。老年人如字典，少年人如戏文……”等九组十八个形象。这就大大强化了说理，使人过目不忘。毛泽东的《为人民服务》从追悼会现场说起，是形；讲张思德烧炭，是事；沉痛哀悼，是情；为人民服务，是理；引司马迁的话，或重如泰山，或轻如鸿毛，是典。“五诀”俱全，如山立岸，沉稳雄健，生机勃勃。有人说马克思的文章难读，但是你看他在剖析劳动力被作为商品买卖的本质时，何等的生动透彻：“原来的货币占有者作为资本家，昂首前行，劳动力占有者作为他的工人，尾随于后。一个笑容满面，雄心勃勃；一个战战兢兢，畏缩不前，像在市场上出卖了自己的皮一样，只有一个前途———让人家来鞣。”在这里，“形”字诀的运用，已不是一个单形，而是组合形了。可知，好文章是很少单用一诀一法，唱独角戏，奏独弦琴的。我们平常总感到一些名篇名文魅力无穷，原因之一就是它们都暗合了这个“文章五诀”的道理。

常有人抱怨现在好看的文章不多，原因之一就是只会用单一法。比如，论说文当然是以理为主，但不少文章也仅止于说理，而且还大多是车轱辘话，成了空洞说教。十八般兵器你只会勉强使用一种，对阵时怎能不捉襟见肘，气喘吁吁。不要说你想“俘虏”读者，读者轻轻吹一口气，就把你的小稿吹到纸篓里去了。前面说过，形、事为实，情、理为虚，“五诀”的运用特别要讲究虚实互借。这样，纪实文才可免其浅，说理文才可避其僵。比如钱钟书《围城》中有这样一句话："（男女）两个人在一起，人家就要造谣言，正如两根树枝相接近，蜘蛛就要挂网。"这是借有形之物来说无形之理，比单纯说教自然要生动许多。

"文章五诀"说来简单，但它是基于平时对形、事、情、理的观察提炼和对知识典籍的积累运用。如太极拳的掤、捋、挤、按，京戏的唱、念、做、打，全在临场发挥，综合运用。高手运笔腾挪自如，奇招迭出，文章也就忽如霹雳闪电，忽如桃花流水。

**梁衡**：原《人民日报》副总编、国家新闻出版署副署长

# 目录

Contents

## 品鉴



## 笔会

## 记忆



## 跨界



## 绝响

## 域外



## 酒坊

# 品鉴

PIN JIAN

艾　青：忆白石老人

何其芳：迟暮的花

孙　犁：黄鹂

季羡林：清塘荷韵

## 艾　青

现当代著名诗人、散文家、画家。1932 年在上海加入中国左翼美术家联盟，从事革命文艺活动。1935 年，出版了第一本诗集《大堰河》。曾任中国作家协会副主席、国际笔会中心副会长等职。1985 年获法国文学艺术最高勋章。

# 忆白石老人

1949 年我进北京城不久，就打听白石老人的情况，知道他还健在，我就想看望这位老画家。我约了沙可夫和江丰两个同志，由李可染同志陪同去看他，他住在西城跨车胡同十三号。进门的小房间住了一个小老头子，没有胡子，后来听说是清皇室的一名小太监，给他看门的。

当时，我们三个人都是北京军事管制委员会的文化接管委员，穿的是军装，臂上带臂章，三个人去看他，难免要使老人感到奇怪。经李可染介绍，他接待了我们。我马上向前说："我在十八岁的时候，看了老先生的四张册页，印象很深，多年都没有机会见到你，今天特意来拜访。"

他问："你在哪儿看到我的画？"

我说："1928 年，已经二十一年了，在杭州西湖艺术院。"

他问："谁是艺术院院长？"

我说："林风眠。"

他说："他喜欢我的画。"

这样他才知道来访者是艺术界的人，亲近多了，马上叫护士研墨，带上袖子，拿出几张纸给我们画画。他送了我们三个人每人一张水墨画，两尺琴条。给我画的是四只虾，半透明的，上画有两条小鱼。题款：

"艾青先生雅正八十九岁白石"，印章"白石翁"，另一方"吾所能者乐事"。

我们真高兴，带着感激的心情和他告别了。

我当时是接管中央美术学院的军代表。听说白石老人是教授，每月到学校一次，画一张画给学生看，作示范表演。有学生提出要把他的工资停掉。

我说："这样的老画家，每月来一次画一张画，就是很大的贡献。日本人来，他没有饿死。国民党来，也没有饿死，共产党来，怎么能把他饿死呢？"何况美院院长徐悲鸿非常看重他，收藏了不少他的画，这样的提案当然不会采纳。

老人一生都很勤奋，木工出身，学雕花，后来学画。他已画了半个多世纪了，技巧精练，而他又是个爱创新的人，画的题材很广泛：山水、人物、花鸟虫鱼。没有看见他临摹别人的。他具有敏锐的观察力，记忆力特别强，能准确地捕捉形象。他有一双显微镜的眼睛，早年画的昆虫，纤毫毕露，我看见他画的飞蛾，伏在地上，满身白粉，头上有两瓣触须；他画的蜜蜂，翅膀好像有嗡嗡的声音；画知了、蜻蜓的翅膀像薄纱一样；他画的蚱蜢，大红大绿，很像后期印象派的油画。

他画鸡冠花，也画牡丹，但他和人家的画法不一样，大红花，笔触很粗，叶子用黑墨只几点；他画丝瓜、倭瓜；特别爱画葫芦；他爱画残荷，看看很乱，但很有气势。

有一张他画的向日葵。题：

"齐白石居京师第八年画"，印章"木居士"。题诗：

"茅檐矮矮长葵齐，雨打风摇损叶稀。干旱犹思晴畅好，倾心应向日东西。白石山翁灯昏又题"。印章"白石翁"。

有一张柿子，粗枝大叶，果实赭红，写"杏子坞老民居京华第十一年矣丁卯”，印章“木人”。

他也画山水，没有见他画重峦叠嶂，多是平日容易见到的。他一张山水画上题：

“予用自家笔墨写山水，然人皆余为糊涂，吾亦以为然。白石山翁并题”。印象“白石山翁”。

后在画的空白处写“此幅无年月，是予二十年前所作者，今再题。八十八白石”，印章“齐大”。

事实是他不愿画人家画过的。

我在上海朵云轩买了一张他画的一片小松林，二尺的水墨画，我拿到和平书店给许麟庐看，许以为是假的，我要他一同到白石老人家，挂起来给白石老人看。我说：“这画是我从上海买的，他说是假的，我说是真的，你看看……”他看了之后说：“这个画人家画不出来的。”署名齐白石，印章是“白石翁”。

我又买了一张八尺的大画，画的是没有叶子的松树，结了松果，上面题了一首诗：“松针已尽虫犹瘦，松子余年绿似苔。安得老天怜此树，雨风雷电一起来。阿爷尝语，先朝庚午夏，星塘老屋一带之松，为虫食其叶。一日，大风雨雷电，虫尽灭绝。丁巳以来，借山馆后之松，虫食欲枯。安得庚午之雷雨不可得矣。辛酉春正月画此并题记之。三百石印富翁五过都门”，下有八字：“安得之安字本欲字”。印章“白石翁”。

他看了之后竟说：“这是张假画。”

我却笑着说：“这是昨天晚上我一夜把它赶出来的。”他知道骗不了我，就说：“我拿两张画换你这张画。”我说：“你就拿二十张画给我，我也不换。”他知道这是对他画的赞赏。

这张画是他七十多岁时的作品。他拿了放大镜很仔细地看了说：“我年轻时画画多么用心呵。”

一张画了九只麻雀在乱飞。诗题：

“叶落见藤乱，天寒入鸟音。老夫诗欲鸣，风急吹衣襟。枯藤寒雀从未有，既作新画，又作新诗。借山老人非懒辈也。观画者老何郎也”。印章“齐大”。看完画，他问我：“老何郎是谁呀？”

我说：“我正想问你呢。”他说：“我记不起来了。”这张画是他早年画的，有一颗大印“甑屋”。

我曾多次见他画小鸡，毛茸茸，很可爱；也见过他画的鱼鹰，水是绿的，钻进水里的，很生动。

他对自己的艺术是很欣赏的，有一次，他正在画虾，用笔在纸上画了一根长长的头发粗细的须，一边对我说：“我这么老了，还能画这样的线。”

他挂了三张画给我看，问我：“你说哪一张好？”我问他：“这是干什么？”他说：“你懂得。”

我曾多次陪外宾去访问他，有一次，他很不高兴，我问他为什么，他说外宾看了他的画没有称赞他。我说：“他称赞了，你听不懂。”他说他要的是外宾伸出大拇指来。他多天真！

他九十三岁时，国务院给他做寿，拍了电影，他和周恩来总理照了相，他很高兴。第二天画了几张画作为答谢的礼物，用红纸签署，亲自送到几个有关的人家里。送我的一张两尺长的彩色画，画的是一筐荔枝和一枝枇杷，这是他送我的第二张画，上面题：

“艾青先生齐璜白石九十三岁”，印章“齐大”，另外在下面的一角有一方大的印章“人犹有所憾”。

他原来的润格，普通的画每尺四元，我以十元一尺买他的画，工笔草虫、山水、人物加倍，每次都请他到饭馆吃一顿，然后用车送他回家。他爱吃对虾，据说最多能吃六只。他的胃特别强，花生米只一咬成两瓣，再一咬就往下咽，他不吸烟，每顿能喝一两杯白酒。

一天，我收到他给毛主席刻的两方印子，阴文阳文都是毛泽东（他不知毛主席的号叫润之）。我把印子请毛主席的秘书转交。毛主席为报答宴请他一次，由郭沫若作陪。

他所收的门生很多，据说连梅兰芳也跪着磕过头，其中最出色的要算李可染。李原在西湖艺术院学画，素描基础很好，抗战期间画过几个战士被日军钉死在墙上的画。李在美院当教授，拜白石老人为师。李有一张画，一头躺着的水牛，牛背脊梁骨用一笔下来，气势很好，一个小孩赤着背，手持鸟笼，笼中小鸟在叫，牛转过头来听叫声……

白石老人看了一张画，题了字：

“心思手作不愧乾嘉间以后继起高手。八十七岁白石甲亥”。印章“白石题跋”。

一天，我去看他，他拿了一张纸条问我：“这是个什么人哪，诗写的不坏，出口能成腔。”我接过来一看是柳亚子写的，诗里大意说：“你比我大十二岁，应该是我的老师”。我感到很惊奇地说：“你连柳亚子也不认得，他是中央人民政府的委员。”他说：“我两耳不闻天下事，连这么个大人物也不知道。”感到有些愧色。

我在给他看门的太监那儿买了一张小横幅的字，写着：“家山杏子坞，闲游日将夕。忽忘还家路，依着牛蹄迹。”印章“阿芝”，另一印“吾年八十乙矣”。我特别喜欢他的诗，生活气息浓，有一种朴素的美。早年，有人说他写的诗是薛楷体，实在不公平。

我有几次去看他，都是李可染陪着，这一次听说他搬到一个女弟子家——是一个起义的将领家。他见到李可染忽然问：“你贵姓？”李可染马上知道他不高兴了，就说：“我最近忙，没有来看老师。”他转身对我说：“艾青先生，解放初期，承蒙不弃，以为我是能画几笔的……”李可染马上说：“艾先生最近出国，没有来看老师。”他才平息了怨怒。他说最近有人从香港来，要他到香港去。我说：“你到香港去干什么？那儿许多人是从大陆逃亡的……你到香港，半路上死了怎么办？”他说：“香港来人，要了我的亲笔写的润格，说我可以到香港卖画。”他不知道有人骗去他的润格，到香港去卖假画。

不久，他就搬回跨车胡同十三号了。

我想要他画一张他没有画过的画，我说：“你给我画一张册页，从来没有画过的画。”他欣然答应，护士安排好了，他走到画案旁边画了一张水墨画：一只青蛙往水里跳的时候，一条后腿被草绊住了，青蛙前面有三个蝌蚪在游动，更显示青蛙挣不脱去的焦急。他很高兴地说“这个，我从来没有画过。”我也很高兴。他问我题什么款。我说：“你就题吧，我是你的学生。”他题：

“青也吾弟小兄璜时同在京华深究画法九十三岁时记齐白

石”。

一天，我在伦池斋看见了一本册页，册页的第一张是白石老人画的：一个盘子放满了樱桃，有五颗落在盘子下面，盘子在一个小木架子上。我想买这张画。店主人说：“要买就整本买。”我看不上别的画，光要这一张，他把价抬得高高的，我没有买；马上跑到白石老人家，对他说：“我刚才看了伦池斋你画的樱桃，真好。”他问：“是怎样的？”我就把画给他说了，他马上说：“我给你画一张。”他在一张两尺的琴条上画起来，但是颜色没有伦池斋的那么鲜艳，他说：“西洋红没有了。”

画完了，他写了两句诗，字很大：

“若教点上佳人口言事言情总断魂”。

他显然是衰老了，我请他到曲园吃了饭，用车子送他回到跨车胡同，然后跑到伦池斋，把那张册页高价买来了。署名“齐白石”，印章“木人”。

后来，我把画给吴作人看，他说某年展览会上他见过这张画，整个展览会就这张画最突出。

有一次，他提出要我给他写传。我觉得我知道他的事太少，他已经九十多岁，我认识他也不过最近七八年，而且我已经看了他的年谱，就说：“你的年谱不是已经有了吗？”我说的是胡适、邓广铭、黎锦熙三人合写的，商务印书馆出版的《齐白石年谱》。他不作声。

后来我问别人，他为什么不满意他的年谱，据说那本年谱把他的“瞒天过海法”给写了。1937 年他七十五岁时，算命的说他流年不利，所以他增加了两岁。

这之后，我很少去看他，他也越来越不爱说话了。

最后一次我去看他，他已奄奄一息地躺在躺椅上，我上去握住他的手问他：“你还认得我吗？”他无力地看了我一眼，轻轻地说：“我有一个朋友，名字叫艾青。”他很少说话，我就说：“我会来看你的。”他却说：“你再来，我已不在了。”他已预感到自己在世之日不会有多久了。想不到这一别就成了永诀——紧接着的一场运动把我送到北大荒。

他逝世时已经九十七岁。实际是九十五岁。

# 读艾青《忆白石老人》

**程步涛**

白石老人和艾青先生都是文坛泰斗，不同的是，艾青小白石老人36岁，他们是地道的忘年交。1949年北平解放，担任市军事管制委员会文化接管委员的艾青，与江丰、沙可夫一起，去西城跨车胡同拜访住在那里的白石老人，随后，两个人便有了往来，那一年白石老人七十有五。

白石老人是1957年9月16日去世的，那年，艾青先生也被打成右派分子，先被遣送到黑龙江，后来去了新疆石河子，直到1979年平反回到北京。《忆白石老人》一文没有标明写作时间，从行文看，显然是后写的。艾青离开北京前去看白石老人，白石老人已经奄奄一息地躺在躺椅上。文中写道，临别，艾青说，我还会来看你的。白石先生说，你再来，我已不在了。这次一别，就真的成了两个人的永诀。

《忆白石老人》这篇回忆只区区数千字，行文朴实，叙述也有些琐碎，全不像艾青气势若虹、激情如火的诗作。细一想，回忆齐白石这样的人物，是不需要文采点缀的，更不需要渲染，写出经过即可，因为齐白石本人就是一本大书，翻开哪一页都是沉甸甸的，不需要在上面放一点东西，哪怕是一片花瓣。

文中记叙了白石老人一些趣事，虽三言五语，却让人忍俊不禁。我想，这才是一个大艺术家的真性情、真本色，我甚至觉得这是艾青先生有意让我们从中体悟白石老人的真实个性。

文中，艾青还写了自己向白石老人讨要画作的过程，而且每次都付款酬谢，白石老人也从不客套，照收不误。旧时，付给画家的报酬叫润格，那时酬金些微，与现在无法相比。艾青付酬，是对白石老人作画的尊重，白石老人收取酬谢，是生计的需要。两个人都是真君子，交往之纯粹，如清风碧水。如今，画家的作品多被涂上铜臭，作品涂上铜臭后，便开始穿梭于酒席宴上、豪华厅堂，拍卖槌下。继而，画家本人也染上铜臭，一方宣纸，涂上些色块，便开出天价，上至官员，下至小民，得到画作后，先想价值几何，接着便是去名利场进行交换。白石老人、艾青先生都在西行路上走了很远了，他们不知道今天的字画行情，若知道，一定会大惊失色的。

**程步涛**：当代军事文学评论家、出版家、诗人。曾任解放军文艺出版社政治委员、社长，军艺特聘教授，现为中国诗歌学会常务副会长。

## 何其芳

现当代著名散文家、诗人、文学评论家，毕业于北京大学哲学系。1938年赴延安鲁艺任教，同年加入中国共产党，著作颇丰。曾任中国文联全委，中国作协理事和书记处书记，中国社科院文学研究所所长。第一、二、三届全国政协委员，第三届全国人大代表。

# 迟暮的花

秋天带着落叶的声音来了。早晨像露珠一样新鲜。天空发出柔和的光辉，澄清又缥缈，使人想听见一阵高飞的云雀的歌唱，正如望着碧海想看见一片白帆；夕阳是时间的翅膀，当它飞遁时有一刹那极其绚烂的展开。于是薄暮。于是我忧郁的又平静的享受着许多薄暮在臂椅里，在街上，或者在荒废的园子里。是的，现在我在荒废的园子里的一块石头上坐着，沐浴着蓝色的雾，渐渐地感到了老年的沉重。这是一个没有月色的初夜。没有游人。衰草里也没有蟋蟀的长吟。我有点儿记不清我怎么会走入这样一个境界里了，我的一双枯瘠的手扶在杖上，我的头又斜倚在手背上，仿佛倾听着黑暗，等待着一个不可知的命运在这静寂里出现。右边几步远有一木板桥，桥下的流水早已枯涸。跨过这丧失了声音的小溪是一林垂柳，在这夜的颜色里谁也描不出那一丝丝的绿了，而且我是茫然无所睹地望着它们。我的思想飘散在无边际的水波一样浮动的幽暗里。一种记忆的真实和幻想的糅合；飞着金色的萤火虫的夏夜；清凉的荷香和着浓郁的草与树叶的香气使湖边成了一个寒冷地方的热带；微风从芦苇里吹过；树阴罩得像一把伞，在月光的雨点下遮蔽了惊怯和羞涩……但突然这些都消隐了。我的思想从无边际的幽暗的飘散里聚集起来追问着自己。我到底在想着一些什么呵？记起一个失去了的往昔的园子吗？还是在替这荒凉的地方虚构出一些过去的繁荣，像一位神话里的人物用莱玡琴声驱使冥顽的石头自己跳跃起来建筑载比城？不，现在我在想着梅特林克和他对于戏剧的见解，使我们从真真优美而伟大的悲剧里看出它的优美而伟大有不是动作而是言语。那些灵魂与灵魂的对话，或者那些独语。至于动作不过是一种原始的简陋的言语而已，一个男人杀了他的情妇或者一个将军战胜了他的强敌，那种激动和情热虽然是最容易使听众们倾心的，并不是构成戏剧的要点。当我正这样静静地想着而且阖上了眼睛，一种奇异的偶合发生了，在那被更深沉的夜色所淹没的柳树林里，我听见了两个幽灵或者老年人带着轻缓的脚步声走到一只游椅前坐了下去，而且，一声柔和的叹息后，开始了低弱的但尚可辩解的谈话：

——我早已期待着你了。当我黄昏里坐在窗前低垂着头，或者半夜里伸出手臂触到了暮年的寒冷，我便预感到你要回来了。

——你预感到？

——是的。你没有这同样的感觉吗？

——我有一种不断的想奔回到你手臂里的倾向。在这二十年里的任何一天，

只要你一个呼唤，一个命令。但你没有。直到现在我才勇敢的背弃了你的约言，没

有你的许诺也回来了，而且发现你早已期待着我了。

——不要说太晚了。你现在微笑得更温柔。

——我最悲伤的是我一点也不知道这长长的二十年你是如何度过的。

——带着一种凄凉的欢欣。因为当我想到你在祝福着我的每一个日子，我便觉得它并不是不能忍耐的了。但近来我很悒郁。古人云，鸟之将死，其鸣也哀，仿佛我对于人生抱着一个大的遗憾，在我没有补救之前决不能得到最后的宁静。

——于是你便预感到我要回来了？

——是的。

——你那使我从前十分迷惑的定命论，现在再不能说服我了，因为早经历了许多人事的许多不幸。

——但我总相信着我给自己说的预言，而且后来都灵验了。不仅你现在的回来我早已预感到，在二十年前我们由初识到渐渐亲近起来后，我就被一种自己的预言缠绕着，像一片不吉祥的阴影。

——你那时并没有向我说。

——我不愿意使你也和我一样不安。

——我那时已注意到你的不安。

——但我严厉地禁止我自己的泄露。我觉得一切沉重的东西都应该由我独自担负。

——现在我们可以像谈说故事一样来谈说了。

——是的，现在我们可以像谈说故事里的人物一样来谈说我们自己了。但一开头便是多么使我们感动的故事呵。在我们还不十分熟识的时候，一个三月的夜晚，我从独自的郊游回来，带着寂寞的欢欣和疲倦走进我的屋子，开了灯，发现了一束开得正艳丽的黄色的连翘花在我书桌上和一片写着你亲切的语句的白纸。我带着虔诚的感谢想到你生怯的手。我用一瓶清水把它供在窗台上。以前我把自己当作一个旁观者，静静地看着一位少女为了爱情而颠倒，等待这故事的自然的开展，但这个意外的穿插却很扰乱了我，那晚上我睡得很不好。

——并且我记得你第二天清早就出门了，一直到黄昏才回来，带着奇异的微笑。

——一直到现在你还不知道我怎样度过了那一天。那是一种惊惶，对于爱情的闯入无法拒绝的惊惶。我到一个朋友家里去过了一上午。我坐在他屋子里很雄辩地谈论着许多问题，望着墙壁上的一幅名画，蓝色的波涛里一只三桅船快要沉没，我觉得我就是那只船，我徒然伸出求援的手臂和可哀怜的叫喊。快到正午时，我坚决地走出了那位朋友的家宅。在一家街头的饭馆里独自进了我的午餐。然后远远的走到郊外的一座树林里去。在那树林里我走着躺着又走着，一下午过去了，我给自己编成了一个故事。我想象在一个没有人迹的荒山深林中有一所茅舍，住着一位因为干犯神的法律而被贬谪的仙女；当她离开天国时预言之神向她说，若干年后一位年轻的神要从她茅舍前的小径上走过，假若她能用蛊惑的歌声留下了他，她就可以得救；若干年过去了，一个黄昏，她凭倚在窗前，第一次听见了使她颤悸的脚步声，使她激动地发出了歌唱。但那骄傲的脚步声踟蹰了一会儿便向前响去，消失在黑暗里了。

——这就是你给自己说的预言吗？为什么那年轻的神不被留下呢？

——假若被留下了他便要失去他永久的青春。正如那束连翘花，插在我的瓶里便成为最易凋谢的花了，几天后便飘落在地上像一些金色的足印。

——现在你还相信着永久的青春吗？

——现在我知道失去了青春人们会更温柔。

——因为青春时候人们是夸张的？

——夸张的而且残忍的。

——但并不是应该责备的。

——是的，我们并不责备青春……

倾听着这低弱的幽灵的私语直到这个响亮的名字。青春，像回声一样弥漫在空气中，像那痴恋着纳耳斯梭的美丽的山林女神因为得不到爱的报答而憔悴，而变成了一个声响，我才从化石似的瞑坐中张开了眼睛，抬起了头。四周是无边的寂静。树叶间没有一丝微风吹过。新月如半圈金环，和着白色小花朵似的星星嵌在深蓝色的天空里。我感到了一点寒冷。我坐着的石头已生了凉露。于是我站起来扶着手杖准备回到我的孤独的寓所去。而我刚才窃听着的那一对私语者呢，不是幽灵也不是垂暮重逢的伴侣，是我在二十年前构思了许久但终于没有完成的四幕剧里的两个人物，那时我觉得他们很难捉摸描画，在这样一个寂寥的开展在荒废的园子里的夜晚却突然出现了，因为今天下午看着墙上黄铜色的暖和的阳光，我记起了很久以前的一个秋天，我打开了一册我昔日嗜爱的书读了下去，突然我回复到十九岁时那样温柔而多感，因为在那书里我找到了一节写在发黄的纸上的以这样两行开始的短诗：

在你眸子里我找到了童年的梦，
如在秋天的园子里找到了迟暮的梦……

# 停泊每一日的青春

## ——读何其芳《迟暮的花》

武亚军

对青春，多是赞歌，譬如朝阳，譬如火焰，譬如金色的丝线。对暮年，多是叹惋，或者呵护去日无多的留恋，譬如夕阳残照，譬如晚晴独好。

何其芳先生的散文《迟暮的花》，却穿透了这种概念式的大众表述，在暮色苍茫中，用两个不知姓名的“剧中”人物，站在天堂或是地狱的大门前，用梅特林克式的唯美的语言，进行了一场“灵魂与灵魂的对话，或者那些独语”般的关于生命态度的对话。

这场独语中，一个行将就木的人，带着一种“凄凉的欢欣”，“悒郁”的与另外一个不具名的对手，述说自己的不安。那种不安，从清水供着的“一束开得正艳丽的黄色的连翘花”和几句温柔的语言开始。在一场噩梦后，这种不安便一直缠绕着悒郁的人。不安的顶点，是他在朋友家发现一幅即将沉没的三桅帆船，上面的人在哀鸣着求救，这种不安以致其决然的离开让他窒息的朋友家。让他离开朋友家的，预期说是一种挣扎的氛围，毋宁说是对生命来日无多的恐惧、对必须到来的未知世界的恐惧和对即将失去人世的无限依赖。

这种对死亡的恐惧，萦绕着每一个年老的人（或者每个人的心里都会时常伴随，只是时隐时现，或多或少吧）。如果这种不安，贯穿“悒郁”之后的自供，那么到最后，他一定自绝于这种不安。

但是，幸好，在极度的不安后，“悒郁”的人经历了一次个人的巡游，猛然顿悟了生命存在的不同形态，他发现了那些被留恋的青春的“夸张”和“残忍”，而自己的那些恐惧其实不过是来对青春的留恋。那些留恋的记忆，如金色的连翘花凋谢之后，艳丽的、鲜活的花朵不过变成了脚印，曾经走过，却，什么带不走。

这时，“悒郁”的人宁静了下来——与其恐惧于不能常伴的虚像，便不如欣赏正在盛开的金色的连翘花吧。与其生活在死亡的惊恐中，不如抓住生命这一日、这一时、这一刹那，去独享这一日、这一时、这一刹那的静谧、安然、痛苦、挣扎、犹豫或者冥想……

文章的最后那首已经发黄的短诗“在你眸子里我找到了童年的梦，如在秋天的园子里找到了迟暮的梦……”更给了我们启发：在青春时，我们的余光已经扫到暮年；而暮年，又让我们回视了青春，究竟暮年和青春的分割到底在哪里？这两段，不过都是深藏在生命中必定的轨迹。大概每一个今天，都是我们距离生命尽头最远的一天，今天，相较明天，都是我们最年轻的一天。

安宁的停泊在每一个今天，就是停泊在每一个青春。

**武亚军**：中央戏剧学院电影电视系主任、教授、博士研究生导师。中国作家协会会员，兼任中国电影文学学会副秘书长、中国电影家协会电影教育和产业发展委员会副主任。作品及个人曾荣获中宣部“五个一”工程奖、“全国戏剧文化奖·金狮奖”编剧奖、“全国优秀儿童剧展演”编剧奖、广电总局电视电影“百合奖”优秀编剧奖、老舍青年戏剧文学奖、北京市高等学校教学名师奖等。

## 孙 犁

现当代著名小说家、散文家，“荷花淀派”创始人，12 岁开始接受新文学，受鲁迅和文学研究会影响很大。新中国成立后，历任中国作家协会天津分会副主席、主席，天津市文联名誉主席，中国作协第一至三届理事、作协顾问，中国文联第四届委员。

# 黄 鹂

这种鸟儿，在我的家乡好像很少见。童年时，我很迷恋过一阵捕捉鸟儿的勾当。但是，无论春末夏初在麦苗地或油菜地里追逐红靛儿，或是天高气爽的秋季，奔跑在柳树下面网罗虎不拉儿的时候，都好像没有见过这种鸟儿。它既不在我那小小的村庄后边高大的白杨树上同黧鸡儿一同鸣叫，也不在村南边那片神秘的大苇塘里和苇咋儿一块筑窠。

初次见到它，是在阜平县的山村。那是抗日战争期间，在不断的炮火洗礼中，有时清晨起来，在茅屋后面或是山脚下的丛林里，我听到了黄鹂的尖利的富有召唤性和启发性的啼叫。可是，它们飞起来，迅若流星，在密密的树枝树叶里忽隐忽现，常常是在我仰视的眼前一闪而过，金黄的羽毛上映照着阳光，美丽极了，想多看一眼都很困难。

因为职业的关系，对于美的事物的追求，真是有些奇怪，有时简直近于一种狂热。在战争不暇的日子里，这种观察飞禽走兽的闲情逸致，不知对我的身心情感，起着什么性质的影响。

前几年，终于病了。为了疗养，来到了多年向往的青岛。

春天，我移居到离海边很近，只隔着一片杨树林洼地的一幢小楼房里。有很长的一段时间，我一个人住在这里，清晨黄昏，我常常到那杨树林里散步。有一天，我发现有两只黄鹂飞来了。

这一次，它们好像喜爱这里的林木深密幽静，也好像是要在这里产卵孵雏，并不匆匆离开，大有在这里安家落户的意思。

每天，天一发亮，我听到它们的叫声，就轻轻打开窗帘，从楼上可以看见它们互相追逐，互相逗闹，有时候看得淋漓尽致，对我来说，这真是饱享眼福了。

观赏黄鹂，竟成了我的一种日课。一听到它们叫唤，心里就很高兴，视线也就转到杨树上，我很担心它们一旦要离此它去。这里是很安静的，甚至有些近于荒凉，它们也许会安心居住下去的。我在树林里徘徊着，仰望着，有时坐在小石凳上谛听着，但总找不到它们的窠巢所在，它们是怎样安排自己的住室和产房的呢？

一天清晨，我又到树林里散步，和我患同一种病症的史同志手里拿着一支猎枪，正在瞄准树上。

“打什么鸟儿？”我赶紧过去问。

“打黄鹂！”老史兴致勃勃地说，“你看看我的枪法。”

这时候，我不想欣赏他的枪技，我但愿他的枪法不准。他瞄了一会儿，黄鹂发觉飞走了。乘此机会，我以老病友的资格，请他不要射击黄鹂，因为我很喜欢这种鸟儿。

我很感激老史同志对友谊的尊重。他立刻答应了我的要求，没有丝毫不平之气。并且说：“养病么，喜欢什么就多看看，多听听。”

这是真诚的同病相怜。他玩猎枪，也是为了养病，能在兴头儿上照顾旁人，这种品质不是很难得吗？

有一次，在东海岸的长堤上，一位穿皮大衣戴皮帽的中年人，只是为了讨取身边女朋友的一笑，就开枪射死了一只回翔在天空的海鸥。一群海鸥受惊远飏，被射死的海鸥落在海面上，被怒涛拍击漂卷。胜利品无法取到，那位女人请在海面上操作的海带培养工人帮助打捞，工人们愤怒地掉头划船而去。这给我留下了深刻的印象。回到房子里，无可奈何地写了几句诗，也终于没有完成，因为契诃夫在好几种作品里写到了这种人。我的笔墨又怎能更多地为他们的业绩生色？

在他们的房间里，只挂着契诃夫为他们写的褒词就够了。

惋惜的是，我的朋友的高尚情谊，不能得到这两只惊弓之鸟的理解，它们竟一去不返。从此，清晨起来，白杨萧萧，再也听不到那种清脆的叫声。夏天来了，我忙着到浴场去游泳，渐渐把它们忘掉了。

有一天我去逛鸟市。那地方卖鸟儿的很少了，现在生产第一，游闲事物，相应减少，是很自然的。在一处转角地方，有一个卖鸟笼的老头儿，坐在一条板凳上，手里玩弄着一只黄鹂。黄鹂系在一根木棍上，一会儿悬空吊着，一会儿被拉上来。我站住了，我望着黄鹂，忽然觉得它的焦黄的羽毛，它的嘴眼和爪子，都带有一种凄惨的神气。

“你要吗？多好玩儿！”老头儿望望我问了。

“我不要。”我转身走开了。

我想，这种鸟儿是不能饲养的，它不久会被折磨得死去。

这种鸟儿，即使在动物园里，也不能从容地生活下去吧，它需要的天地太宽阔了。

从此，有很长一段时间，我不再想起黄鹂。第二年春季，我到了太湖，在江南，我才理解了“杂花生树，群莺乱飞”这两句文章的好处。

是的，这里的湖光山色，密柳长堤；这里的茂林修竹，桑田苇泊；这里的乍雨乍晴的天气，使我看到了黄鹂的全部美丽，这是一种极致。

是的，它们的啼叫，是要伴着春雨、宿露，它们的飞翔，是要伴着朝霞和彩虹的。这里才是它们真正的家乡，安居乐业的所在。

各种事物都有它的极致。虎啸深山，鱼游潭底，驼走大漠，雁排长空，这就是它们的极致。

在一定的环境里，才能发挥这种极致。这就是形色神态和环境的自然结合和相互发挥，这就是景物一体。典型环境中的典型性格，也可以从这个角度来理解吧。这正是在艺术上不容易遇到的一种境界。

# 《黄鹂》赏析

## 张守仁

孙犁的作品写人的命运、心灵以及故乡白洋淀的风光美和人性美。他笔下那年轻妇女们，像一朵朵出水荷花，高洁、纯净、秀逸、挺拔。细腻婉约的文笔，浪漫清新的风格，使他成为"荷花淀派"的创始人。他的散文品格高远，语言炉火纯青。步入晚年以后，他的文笔从四五十年代的素朴明丽、淡雅清新转为凝重深沉，苍健刚劲。

解放后，在天津工作的孙犁，身体欠佳。上世纪七十年代末，我曾专程到《天津日报》宿舍多伦道216号孙犁家中，请他为《十月》写稿。他向我诉苦说："近来身体不好，经常失眠。前一阵去北京开三个刊物(《人民文学》《文艺报》《诗刊》)编委会，一改变生活环境，神经兴奋，一连三夜都没睡着，现在只能写点短文。韩映山他们要在保定办个刊物《莲池》，嘱我写篇稿子。我写了篇《书的梦》，回忆在保定紫河套买书的经历，准备寄给他。如果你们要稿紧的话，你就把这篇稿子拿走吧——不过，我还没誊清呢。"说着，他眼睛里流露出歉疚之情。

我接过稿子，看到孙犁竖写在格子里秀逸流畅的钢笔字，便乐不可支地连声说："谢谢，谢谢！"这便是《十月》1979年第二期上发表的那篇美文。

黄鹂一直受到孙犁宠爱和钟情，展示作家对美的追求。这种美丽的鸟儿，他从河北阜平，一直欣赏到山东青岛海滨，还一直关注到它在水乡太湖岸边的生存环境。抗战期间，孙犁第一次在阜平山村里，欣赏到黄鹂的倩影："它们飞起来，迅若流星，在密密的树枝叶里忽隐忽现，常常是在我仰视的眼前一闪而过，金黄的羽毛上照映着阳光，美丽极了……"

1956年他得了神经衰弱症，老是睡不着觉。他到青岛养病，又在树林里看到两只黄鹂，鸣叫着，相互追逐，大饱眼福。"观赏黄鹂，竟成了我的一种日课。一听到它们叫唤，心里就很高兴。"有一位姓史的病友，拿起猎枪瞄准树上。孙犁劝他不要射击黄鹂。病友所从了他的劝告，他感激不尽说："这是真诚的同病相怜。他玩猎枪，也是为了养病，能在兴头上照顾旁人，这种品质不是很难得吗？"

孙犁后来到了"杂花生树，群莺乱飞"的太湖之畔，那儿湖光山色，密柳长堤，茂林修竹，桑田苇荡，他看到了黄鹂安居乐业的生存环境，高兴地欣赏到了"两个黄鹂鸣翠柳，一行白鹭上青天"的江南美景。

孙犁在文末慨叹道："各种事物都有它的极致。虎啸深山，鱼游潭底，驼走大漠，雁排长空，这就是它们的极致。"

"荷花淀派"创始人，不论身处何时何地，始终酷爱着美丽，热爱着黄鹂。正因为爱的深切，所以他在鸟市上看见那只被老头儿关在笼子里，玩弄于股掌之间，命运极其悲惨的黄鹂，流露出痛惜之情。

**张守仁：**当代资深编辑家、文学评论家、散文家，大型文学期刊《十月》创办人之一。二十一世纪文学新星丛书常务编委，鲁迅文学奖评委，鲁迅文学院特聘教授。

季羡林

现当代著名教育家、文学家。曾任北京大学副校长、中国社会科学院南亚研究所所长，其著作汇编成《季羡林文集》共24卷。

# 清塘荷韵

楼前有清塘数亩，记得三十多年前初搬来时，池塘里好像是有荷花的，我的记忆里还残留着一些绿叶红花的碎影。后来时移事迁，岁月流逝，池塘里却变得“半亩方塘一鉴开，天光云影共徘徊”，再也不见什么荷花了。我脑袋里保留的旧的思想意识颇多，每一次望到空荡荡的池塘，总觉得好像缺点什么。这不符合我的审美观念。有池塘就应当有点绿的东西，哪怕是芦苇呢，也比什么都没有强。最好的最理想的当然是荷花。中国旧的诗文中，描写荷花的简直是太多太多了。周敦颐的《爱莲说》读书人不知道的恐怕是绝无仅有的。他那一句有名的“香远益清”是脍炙人口的。几乎可以说，中国没有人不爱荷花的。可我们楼前池塘中独独缺少荷花。每次看到或想到，总觉得是一块心病。

有人从湖北来，带来了洪湖的几颗莲子，外壳呈黑色，极硬。据说，如果埋在淤泥中，能够千年不烂。因此，我用铁锤在莲子上砸开了一条缝，让莲芽能够破壳而出，不至永远埋在泥中。这都是一些主观的愿望，莲芽能不能够出，都是极大的未知数。反正我总算是尽了人事，把五六颗敲破的莲子投入池塘中，下面就是听天命了。这样一来，我每天就多了一件工作：到池塘边上去看上几次。心里总是希望，忽然有一天，“小荷才露尖尖角”，有翠绿的莲叶长出水面。可是，事与愿违，投下去的第一年，一直到秋凉落叶，水面上也没有出现什么东西。经过了寂寞的冬天，到了第二年，春水盈塘、绿柳垂丝，一片旖旎的风光。可是，我翘盼的水面上却仍然没有露出什么荷叶。此时我已经完全灰了心，以为那几颗湖北带来的硬壳莲子，由于人力无法解释的原因，大概不会再有长出荷花的希望了。我的目光无法把荷叶从淤泥中吸出。

但是，到了第三年，却忽然出了奇迹。有一天，我忽然发现，在我投莲子的地方长出了几个圆圆的绿叶，虽然颜色极惹人喜爱，但是却细弱单薄，可怜兮兮地平卧在水面上像水浮莲的叶子一样。而且最初只长出了五六个叶片。我总嫌这有点太少，总希望多长出几片来。于是，我盼星星、盼月亮，天天到池塘边上去观望。有校外的农民来捞水草，我总请求他们手下留情，不要碰断叶片。但是经过了漫漫的长夏，凄清的秋天又降临人间，池塘里浮动的仍然只是孤零零的那五六个叶片。对我来说，这又是一个虽微有希望但究竟仍是令人灰心的一年。真正的奇迹出现在第四年上。严冬一过，池塘里又溢满了春水。到了一般荷花长叶的时候，在去年飘浮着五六个叶片的地方，一夜之间，突然长出了一大片绿叶，而且看来荷花在严冬的冰下并没有停止运动，因为在离开原有五六个叶片的那块基地比较远的池塘中心，也长出了叶片。

叶片扩张的速度，扩张范围的广大，都是惊人地快。几天之内，池塘内不小一部分，已经全为绿叶所覆盖。而且原来平卧在水面上的像是水浮莲一样的叶片，不知道是从哪里聚集来了力量，有一些竟然跃出了水面，长成了亭亭的荷叶。原来我心中还迟迟疑疑，怕池中长的是水浮莲，而不是真正的荷花。这样一来，我心中的疑云一扫而光：池塘中生长的真正是洪湖莲花的子孙了。我心中狂喜，这几年总算是没有白等。天地萌生万物，对包括人在内的动、植物等有生命的东西，总是赋予一种极其惊人的求生存的力量和极其惊人的扩展蔓延的力量，这种力量大到无法抗御。只要你肯费力来观察一下，就必然会承认这一点。现在摆在我面前的就是我楼前池塘里的荷花。自从几个勇敢的叶片跃出水面以后，许多叶片接踵而至。一夜之间，就出来了几十枝，而且迅速地扩散、蔓延。不到十几天的工作，荷叶已经蔓延得遮蔽了整个池塘。从我撒种的地方出发，向东西南北四面扩展。我无法知道，荷花是怎样在深水中淤泥里走动。反正从露出水面的荷叶来看，每天至少要走半尺的距离，才能形成眼前这个局面。光长荷叶，当然是不能满足的。

荷花接踵而至，而且据了解荷花的行家说，我门前池塘里的荷花，同燕园其他池塘里的，都不一样。其他地方的荷花，颜色浅红；而我这里的荷花，不但红色浓，而且花瓣多，每一朵花能开出十六个莲瓣，看上去当然就与众不同了。这些红艳耀目的荷花，高高地凌驾于莲叶之上，迎风弄姿，似乎在睥睨一切。幼时读旧诗：“毕竟西湖六月中，风光不与四时同。接天莲叶无穷碧，映日荷花别样红。”爱其诗句之美，深恨没有能亲自到杭州西湖去欣赏一番。现在我门前池塘中呈现的就是那一派西湖景象。是我把西湖从杭州搬到燕园里来了。岂不大快人意也哉！前几年才搬到朗润园来的周一良先生赐 名为“季荷” 。我觉得很有趣，又非常感激。难道我这个人将以荷而传吗？前年和去年，每当夏月塘荷盛开时，我每天至少有几次徘徊在塘边，坐在石头上，静静地吸吮荷花和荷叶的清香。“蝉噪林 愈静，鸟鸣山更幽。”我确实觉得四周静得很。我在一片寂静中，默默地坐在那里，水面上看到的是荷花的绿肥、红肥。

倒影映入水中，风乍起，一片莲瓣堕入水中，它从上面向下落，水中的倒影却是从下边向上落，最后一接触到水面，二者合为一，像小船似地漂在那里。我曾在某一本诗话上读到两句诗：“池花对影落，沙鸟带声飞。”作者深惜第二句对仗不工。这也难怪，像“池花对影落'这样的境界究竟有几个人能参悟透呢？晚上，我们一家人也常常坐在塘边石头上纳凉。有一夜，天空中的月亮又明又亮，把一片银光洒在荷花上。我忽听“扑通”一声。是我的小白波斯猫毛毛扑入水中，她大概是认为水中有白玉盘，想扑上去抓住。她一入水，大概就觉得不对头，连忙矫捷地回到岸上，把月亮的倒影打得支离破碎，好久才恢复了原形。今年夏天，天气异常闷热，而荷花则开得特欢。绿盖擎天，红花映日，把一个不算小的池塘塞得满而又满，几乎连水面都看不到了。一个喜爱荷花的邻居，天天兴致勃勃地数荷花的朵数。今天告诉我，有四五百朵；明天又告诉我，有六七百朵。但是，我虽然知道他为人细致，却不相信他真能数出确实的朵数。

在荷叶底下，石头缝里，旮旮旯旯，不知还隐藏着多少骨朵，都是在岸边难以看到的。粗略估计，今年大概开了将近一千朵。真可以算是洋洋大观了。连日来，天气突然变寒，好像是一下子从夏天转入秋天。池塘里的荷叶虽然仍然是绿油一片，但是看来变成残荷之日也不会太远了。再过一两个月，池水一结冰，连残荷也将消逝得无影无踪。那时荷花大概会在冰下冬眠，做着春天的梦。它们的梦一定 能够圆的。“既然冬天到了，春天还会远吗？”我为我的“季荷”祝福。

# 有感《清塘荷韵》

张树新

写荷花的文章很多，读季羡林先生写荷花则另有一番情境，季老写荷花，写出了淡定、雅致与浪漫的韵味。在季老的身上，既有旧文人的情怀，也有新时代文人的特质。在他的全文中，其实我最喜欢的是他所引用的“池花对影落”的这一诗句，在引用此句之前，季老是这样写的：“我在一片寂静中，默默地坐在那里，水面上看到的是荷花的绿肥、红瘦。倒影映入水中，风乍起，一片莲瓣堕入水中，它从上面向下落，水中的倒影却是从下边向上飞，最后一接触到水面，二者合为一，像小船似地漂在那里。”季老的这段文字实是对“池花对影落”的注释，花能找到影子，人也会如此，由此我想到的是对生命的礼赞。

季老的一生历经坎坷，早年曾是清华大学西洋文学系的学生，后留学国外，通德、英、巴利文、梵及俄、法文，尤其精通吐火罗文，是世界上仅有的几位该领域的专家。他先是北京大学的教授，此后历经了人生中风雨如晦的坎坷，1970年回北京大学看校门。改革开放后，1978年成为北京大学副校长、中国社会科学院南亚研究所所长。季老数十年来笔耕不辍，最终“池花对影落”，他生命的尽头终结在他为之奋斗的事业里（享年98岁）。不光季老如此，中国千千万万个文化学者，科技工作者，两弹一星的元勋们，哪一个不是如此，“池花对影落”是他们真实生命状态的写照，他们是中国社会中真正构成社会脊梁的英雄。

清末大思想家王国维先生在《人间词话》中指出：古今之成大事业、大学问者，必经过三种之境界。“昨夜西风凋碧树，独上高楼，望尽天涯路”（晏殊《蝶恋花》），此第一境也；“衣带渐宽终不悔，为伊消得人憔悴”（柳永《蝶恋花》），此第二境也；“众里寻它千百度。蓦然回首，那人却在，灯火阑珊处”（辛弃疾《青玉案》），此第三境也。王国维先生认为这是文人的三种境界。其实，从“池花对影落”而言，笔者认为，在三境之外还应该有一种境界，即“江山如此多娇，引无数英雄竞折腰”（毛泽东《沁园春.雪》）。笔者认为一个人只有将自己的命运，与祖国和民族的命运连在一起，与生他养育他的土地连在一起，并为此献身，他的生命才具有了更加真实的意义，生于这片土地还于这片土地，这也正是“池花对影落”的境界。

季老是教育界的杰出前辈，也是我的老师和楷模，他的《清塘荷韵》写出了自然与生命的美感，也写出了他清莲自许般的真诚。

**张树新：**当代工艺美术家、书法家、武术家。清华大学美术学院副教授、博士生导师，中国传统文化促进会武学委员会副主任、北京榜书家协会副主席、北京王芗斋意拳发展中心秘书长。

# 笔會

BI HUI

李敬泽

当代著名文学评论家，散文家，中国作家协会副主席，书记处书记，著作颇丰。

# 《红楼梦》：影响之有无

## 一

关于《红楼梦》，说出的都是说过的话。

我想说，《红楼梦》是小说，是虚构。它既不是曹家的家史，也不是大清朝的宫廷史或社会史。

此义余国藩先生在《论〈红楼梦〉》中已反复申说，之前，余英时先生在《〈红楼梦〉的两个世界》中即曾困惑：“这里确有一个奇异的矛盾现象，即《红楼梦》在普通读者的心目中诚然不折不扣地是一部小说，然而在百余年来红学研究的主流里却从来没有真正取得小说的地位。”而俞平伯先生 1987 年也曾批评索隐派和自传说的学者将《红楼梦》视为历史文献。

但是没有用。时至今日，余英时先生说的“普通读者”的态度恐怕也已大成问题，近年来拜网络和《百家讲坛》的推动，大批业余史家钩沉导隙，于虚空中言之凿凿，《红楼梦》即在“普通读者”眼里也未必再是“不折不扣”的小说。

情况是，我们有一部伟大的小说，但是我们一定要把它读成流言蜚语。

当然，这样一种阅读习惯和诠释方向也并非错到哪里，杜鲁门·卡波蒂有云：小说即是飞短流长。在中国传统中，如果我们同意小说的起源如《汉书·艺文志》所说即是“稗官”，那么，稗官的功能本就是搜集和上报“小道消息”，“防民之口，甚于防川”，民之口说了什么，王又何以得知？大概正是通过稗官。在汉儒的诠释下，稗官和乐府被理想化为“以观民风”，差不多就是与民同乐了，但揆诸基本的政治理性，则稗官之职守恐怕首先在于对事实与虚构的收集、审核与控制，即以“稗”字而论，稗是稗草，混同于五谷，似真而非真，是无用的和破坏性的。稗官要识别稗草（毒草？），前提就在于他知道何为真、何为事实，这是显而易见的政治权力。

小说起源于事实与虚构、真与伪的辩证与争夺，稗官只是这场争夺的一方，另一方是那些无名的作者和听众、读者。

稗官所搜者何事？从早期笔记小说中可以看出，不外乎两类：一为志怪、志异，一为宫闱流言，所谓野史、秘史。这两方面的趣味深刻地源于人性，至今在新浪首页上也是昭昭在目。

很少有人注意到，野史的叙事的说服力建立在怀疑论和相对主义基础上：野史的讲述者关切的与其说是被确认的事实，不如说是被事实所遮蔽的区域，他们认为那个区域肯定是在的，正史告诉我们多少东西，它就同时遗忘和隐藏了更多的东西。正是在这个意义上，无可求证的想象、杜撰或虚构获得了一种合法性：当我们相信事实中隐藏着假时，我们也就相信虚构中可能隐藏着真。

野史之信是起于不信，在这个过程中，野史发展出自身的叙事伦理，那是一个伦理上为真的想象域，在这个区域里，事实并非依据证据，而是直接依据讲述行为自身：面对给定事实的颠覆性讲述中就包含着事实。

就这样，我们对事实的热情引导我们走向对虚构的热情。而在生活中这两者常常直接就是一回事。但同时，虚构的精神也深刻地依赖于我们对事实的伦理性饥渴。当章学诚断言“六经皆史”，他是将一切价值最终落在“事”上，一切飞翔的事物如果不能同时落实，那么这事物本身也是可疑的。

《红楼梦》终不能逃脱这个命运：面对这部伟大的虚构作品，我们以永不厌倦的热情，组织起一代又一代的侦缉队，我们必须找出它隐藏的“事”，我们确信存在曹雪芹密码，他在这部恢宏的野史中一定说出了什么，他写这本书的目的尽在于此。

## 二

所有的话都说出了：假作真时真亦假，无为有处有还无。

这是《红楼梦》的总纲。我们至今也未必懂了。中国自有小说以来，没有任何写作者如曹雪芹这般深晓真与假、有与无、事实与虚构之间吊诡缭绕的关系，他无与伦比的原创性成就首先是在此间。

即使是熟悉20世纪后现代小说的读者，也会惊叹于《红楼梦》庞大复杂的后设性结构——我沮丧地发现，余国藩先生对此已有详明的分析和阐述。

但有一个问题依然值得拈出讨论，那就是，这个名叫曹雪芹的人对于身为一部小说的“作者”的看法。

不管出于什么原因，元明以后几部伟大的“说”部中，我们唯一可以明确辨认的作者只有曹雪芹——当然这实际上也并非毫无疑问，至少当初胡适就曾经推测曹雪芹并非《红楼梦》的唯一作者，他是依据某个原始稿本披阅十载、增删五次。但是我和后世的绝大部分读者一样，认为曹雪芹就是唯一的作者，而我的理由主要是：那个写下《红楼梦》的人，他的作者意识是如此之强，以至于他不可能听任自己彻底消隐。

第一回："此开卷第一回也，作者自云……"这在中国小说中诚为石破天惊，因为眼目所及，此前似乎没有作者在书中如此自我暴露，而将明确的作者声音和作者意识带进文本内部，这迟至20世纪80年代，才在中国小说中作为一种令人不安的创新出现。

《红楼梦》之不被当作"不折不扣"的小说，曹雪芹自己要负很大责任，他像一个虚荣的、深通诱惑与营销之道的当代作家，处心积虑地将读者的注意力引向文本之外的自身，小说第一段，几乎就是一份阅读上的"自传契约"。

这件事此前的中国小说作者从未做过。但曹雪芹的惊人复杂在于，他马上就让这份契约变得暧昧不清，效力无法估量——我们看到那块石头，刻于石上之书，传抄者空空道人，最后，曹雪芹的名字出现：他却是个勤勉的编辑者。

那么，一开始说话的"作者"是谁呢？从逻辑上说，石上之书应是石头自撰，那么，我们可以把"作者"等同于石头吗？我们就算知道这是曹雪芹的托马斯·品钦和博尔赫斯式的复杂诡计，但有鉴于此，我们又该在多大程度上相信那份刚刚达成的契约，相信曹雪芹将作品与他的真实生活相互印证的愿望？

曹雪芹可能是中国小说史上最引人注目的作者，同时也是隐藏得最深的作者，他前所未有地伸张作者的权利，但却同时前所未有地揭示了作者的虚构权利。他比任何一个人更直接地现身，但又比任何一个作者更倾向于自我消解。

三

关于《红楼梦》，最怵目惊心的事倒不在于它长期以来未被当作"不折不扣的小说"，而在于，自20世纪初新文化运动以后，此书成为中国文学之正典，具有至高无上的地位，几乎是读书之人无人不读，文人们更是以谈《红楼梦》为老来余事。但《红楼梦》对现代以来中国文学的实际影响却惊人地小——几近于无。

也就是说，我们读《红楼梦》，谈《红楼梦》，但是，我们竟没想起来像《红楼梦》那样写小说。现代以来，几乎没有什么重要的创作现象和作品可以明确地见出《红楼梦》的影响。“家族史”吗？那可主要不是从《红楼梦》来的，我能想得起来的，依稀还有《三家巷》中对《红楼梦》调子的借用，但其实是不成功的。

唯一的例外是张爱玲。而张爱玲为什么成了例外，下面就会谈到。

这是一个阅读史和影响史上的奇观。它告诉我们，最持久的阅读热情和最深入的阐释兴趣竟都不足以化为影响。中国的小说家们很少在写作的盛年谈论《红楼梦》，《红楼梦》对他们来说无法构成影响的焦虑，倒是成了暮年消遣。

问题出在哪儿呢？在曹雪芹与中国现代小说家之间发生了什么？

## 四

一部《红楼梦》，冤缠孽结，第二十九回，宝玉黛玉怄气，贾母抱怨道：“不是冤家不聚头。”这本也是老太太说家常口吻，却说得宝黛二人心中一动，“好似参禅的一般”。这冤孽，从情节上说，却是当日赤霞宫里神瑛使者浇溉了绛珠仙草，绛珠转世，以泪还他。

这是个神话，但每一个中国读者却是默会于心。对神人仙草，我们是故妄听之，但对其中所含的人生精神，我们是深信不疑的：水与泪的交换关系中，隐含着生命中的际遇与应许，那就是一个“情”字。

关于《红楼梦》的“情”，论说汗牛充栋，不能再加一言。此处要说的倒是另一种“情”，秦可卿房中那副对联：“世事洞明皆学问，人情练达皆文章。”这两句话，中国读者同样深切领会：行于世上，最大的学问不外乎世事人情，洞明与练达皆是“格物”，格物之目的，在致知，也在立身、显明。

《红楼梦》一书，于此间是巧舌如簧，极具功力。自脂砚斋起，评家读者对《红楼梦》中的这份人情都怀有特殊的兴趣——时至今日，中国的大众红学中除了探秘索隐，便是老太婆论长短，于每个人、每件事，于人情世理上细细考究。《红楼梦》百余年来一个隐蔽的文化功能就是，它是中国人的人情教科书，举凡婚姻家庭、私事公务，直至军国大政，都能在《红楼梦》里对了景儿，借得一招半式。

这样一个人间俗世，《金瓶梅》里亦已充分完足。但《金瓶梅》的问题在于太凶猛、太彻底，它对人世之俗、之不报幻想的态度不免吓住了读者，倒不在那些□□□，而是那种一往无前的悍然之俗，不留余地不转身，使人如临深渊。读《红楼梦》，很多人大概是愿意住进去的，但《金瓶梅》的世界就很难令人安居。

可以说，百年来中国文学经验的一大部分——阅读与潜在的、不能完成的写作，是与《红楼梦》有关的。对于我们的生活世界的体会与言说，在20世纪的大部分时间里中国人所借助的是一部《红楼梦》。尽管正典化过程中，《红楼梦》被极力纳入正确的诠释框架，尽管对它的阅读被强力引导和规训，但是，《红楼梦》所展示的那个恒常俗世，面对20世纪的强大历史，它是如此弱，又是如此强，它不具话语合法性的，不能被说出，不能被写出，但它依然在运行。《红楼梦》作为百年来屹立不摇的经典，它始终活着，不是因为它按照评家的意图被阅读，而是因为它始终参与着我们的生活。

20世纪70年代末，我的童年。那时我母亲是《红楼梦》的狂热爱好者，她熟悉《红楼梦》里所有的细节、典故，她在日常言谈中随时引用《红楼梦》的话语，她毫不掩饰她对《红楼梦》那些精巧心机的热爱，以至于现在回想起来，我的童年似乎是和《红楼梦》中人特别是凤姐、探春之流共同度过的。

——我不知道这份接受史是否及在何种程度上具有普遍性。时至今日，很大程度上是通过张爱玲，《红楼梦》的俗世在文学中已经重获合法性，但实际上我们迎来的可能是《金瓶梅》式的不容转身的俗世，我们可能与《红楼梦》里至关重要的另外一面，俗世的那一面，依然隔绝……

## 五

古典“说”部的大特点就是悲感。《三国演义》《水浒传》到最后，万木飘零，英雄凋尽，古今多少事，尽付笑谈中。《金瓶梅》到最后更是无数尸体，世界无可救药地崩坏塌陷。

这并非“悲剧”，而是悲感——我是说这并非西方式的悲剧，我们对人生与世界的关切并非是一个人与社会的、超验的命运的对抗，而是一个人面对自然节律，此生之有涯，宇宙之无尽，所生的虚妄无力之感。

《红楼梦》里，“封建势力”的代表贾政，与贾宝玉之间的冲突，若放在后世，比如写《家》《春》《秋》乃至《雷雨》时，那一定会真的弄出西方式的悲剧来，但其实在这书中并无悲剧，打也打了，骂也骂了，恩义情谊仍在，到八十回末，贾政几乎就是一个隐藏着慈爱的旧式中国父亲——无他，曲尽人情而已。

对于《红楼梦》来说，要害不在于此，不在于谁和谁的斗争，而在于一种浩大的虚无之悲，它和其他“说”部有一个确切的分别：在《三国演义》《水浒传》《金瓶梅》中，人物对这人世之悲并无自觉，他们是草木而不知自身将要凋零，秦人不暇自哀而后人哀之，虚无感属于作者和读者，但在《红楼梦》中，这份悲却在人物的内在意识中牢牢地扎下根去——成为自我倾诉和倾听，成为弥漫性的世界观，成为一种生命意识。

这一份悲，在中国传统中源远流长：对酒当歌，人生几何？树犹如此，情何以堪！意识到眼前的一切是镜花水月，如电如露如梦幻泡影，悲凉，悲之所以是凉，是因为秋天来了，冬天也要来了——那么春天还会远吗？但对中国人来说，这不过是浪漫主义的呓语，春天来时盛开的已不是此身此世。曹雪芹呼应着一个伟大的传统，被无数诗人、无数心灵纤细的中国人反复体会的境界。

但曹雪芹的伟大创造是，他的无比悲凉就在无比热闹之中，他使悲凉成为贯彻小说的基本动力而不是曲终人散的一声叹息。他是如此地深于、明于人情和欲望，他痴缠于爱欲，但是，他为中国的叙事文学引入了感受生命的新向度：死，爱欲中的死。《金瓶梅》《三国演义》《水浒传》，其中人谁是知死的呢？皆不知死，皆在兴致勃勃地活着，直到时间的镰刀收割，空留后人叹息。

——不到中年，不知宝玉之好。这个少年所含蕴的巨大悲感，在中国文化史上的意义或许只有哈姆雷特之问在西方文化中的意义可堪比拟。他们都提出了所在文化中生命的根本问题，哈姆雷特所困的是个人的选择，贾宝玉所困的是：这一切、此时、此生、此身究竟有何意义？

由此，我们可以理解《红楼梦》为什么对现代以来的中国文学甚少实际的影响：贾宝玉作为一个小说主人公实际上是不能成立的，他不动，或者说他的不动就是他的动——哈姆雷特的力量也在于犹豫、不动，但贾宝玉的不动更为彻底。

我一向认为，《红楼梦》是一部现代主义的小说，贾宝玉的不动堪比加缪的《局外人》，但贾宝玉与局外人不同的是，他于一切有情。没有哪一部小说对此在的世界如此贪恋但又如此彻底地舍弃，这是无限的实，亦是无限的虚。

正在此际，可以看出我们和《红楼梦》之间的隔膜，我们可以无限的实，但我们却不知何为无限的虚。

## 六

说贾宝玉不动，还是意有未洽。他之能够不动，是因为身在大观园中、桃花源里，他是红尘中隐居之人。

桃花源的想象亦是源远流长，曹雪芹的创造，是于这俗世中创一桃花源——这也不准确，是贾宝玉自己创造一个桃花源：大观园提供了条件，但这富贵闲人，他的乌托邦却几乎完全是在他的观念中建构起来的。——顺便一说：第二十三回，黛玉葬花，所葬的却是桃花，以曹雪芹之惯会游戏文字，或许就是隐指了桃花源也未可知。

支撑这个乌托邦的有一系列基本概念：女人、少年与水，女人与少年、与纯洁的水，在贾宝玉的“歪理邪说”中形成了一个关于世界的自洽的系统，这个系统正相对于俗世，那男人的、成人的、污浊的扰攘红尘。

关于这个乌托邦的构成和性质，论述甚夥。但它依然令人困惑：它终究、注定是要散的，是要消失的，这一点就预设，在它的内部，它是理想的，但在本质上是“悲”的。这悲倒不是因为俗世或“封建势力”的强大，而是因为这个乌托邦里不幸有钟表，有时间。桃花源中，“不知有汉，无论魏晋”，桃花源的想象是反时间的，标志着人类逃出时间及历史的囚禁。但在贾宝玉的乌托邦中，世界不可或缺的另一重本质就是时间，女人会嫁人，少年会长大，水会流逝——水在中国文化中，正是时间之喻。

在时间中，季节嬗递，一切都在凋零，乌托邦解散，飞鸟各投林，白茫茫大地真干净，这就是命定之事。在《红楼梦》极具抒情性，也可能是中国文学中最具生命感叹的第二十三、二十六两回中，桃花、流水、土地、良辰、美景，一套复杂的隐喻和征引，构成了一个凋零着、坚守着、在文本的此时既在着又被追怀哀悼着的乌托邦。

政治家从《红楼梦》中看见了历史，但曹雪芹的乌托邦其实是在与历史和时间争夺意义，而中国现代以降的小说家，所信的只有历史和一往无前的时间。

这就是分际所在，是隔绝着曹雪芹与现代小说家的那个楚河汉界。

正是由此，我们可以见出张爱玲之与《红楼梦》暗通款曲之处，我曾在多年前写过一篇文章，谈及此事：

“但张爱玲知道，她自己可能是这种古典俗人的最后一代了，她听到历史的脚步如渔阳鼙鼓动地而来，她是有些惨伤，但仍是有节制的惨伤。世代簪缨之族其实比暴起暴落之辈更能顺受人生的无常，如清季的八旗贵胄，只是空对着刚办了抵押贷款的荒凉宅院，喝一杯残酒，唱一声‘杨延辉，坐宫院……’万般无奈索性放开。张爱玲也不过是说，如此这般的颜色终被雨打风吹去，这就是岁月和人生。”（《颜色的名字》）

## 何向阳

当代著名文学评论家、散文家、学者。中国作家协会创作研究部主任。主要著作有评论集《朝圣的故事或在路上》等多部，曾获鲁迅文学奖。

# 鲁迅墓前思

1996年——他猝去六十年之后的一个冬天，他的墓朴朴素素的，在那个静谧的黄昏。灰石铺成的大道掩盖了土，方石砌就的墙上铭刻着伟人的字，躺的地方照例是干净的，一如他站着时的品质，石墙下长出的绿苔却与四周葱茏的松柏一起围成了一个静谧的所在。除了两三个背了书包的学生鞠了躬匆匆来去之外，没有人来。这个冬天，没有人打扰他的睡眠。前边是他青铜的坐像，坐像前面广场的方地上，是傍晚来练跳舞的人，他们隔在坐像那边，细碎的声音偶尔会传过来。我坐在墓边的柏树下，看着他们的幸福或者麻木，想着墓里的人，想着抉心自食的痛彻，想着“答我——否则，离开”。天黑下来，在夜与昼的交界处站起身已经不止一次了，这次却不同，从三三两两仍有余兴的舞者中间穿行而过，突然想到这个时刻与地点也许正是他喜欢的，正如那憎爱相缠的感觉咬噬了他一辈子也从没流露出个后悔。回头再看坐像依然肃穆着，一脸青白，却有血色在动。暮霭更浓了。以至石上1881——1936的字在摇摆不定的人影挡遮中渐渐模糊了。

纪念馆中的人也是不多的，只是一个人在静静地看，看另一个人并不静谧的一生，是可以听到时间的马蹄的，像东京时那人的表，戴着，只为提示自己是什么在与生命一起寸寸前行。走出来，是又回到了世间的感觉，人群喧闹，阳光普照，像是什么都不曾有过，和平真的与慵懒接近，还有他深恶的遗忘，穿行在这样的笑与平静里，真的是穿行在那竟找不到具体对手的“无物之阵”么？一切都改转许多，而好似一切又让人熟如旧睹，这是他恨爱参半的人，是他憎护有加的人。他穿过人群，走了过去。然而这是怎样的穿越。本味何由知！五十六岁仆倒之时，纵然有二里长的送葬队，有“民族魂”的旗帜，有绵延于心打破了死的诗文歌哭，然而那是他真正看重的么？他是反感纪念的。然而六十年后，麦当劳桌前的孩子在大人的引领下积极地消耗着这个快餐时代，他们都有赶上了趟的快乐，已经谁也不去提起那个在异国幻灯面前攥紧了拳头同时也握住黑暗的少年。这时候又能说什么呢？忘记，无睹的假装，习惯，还是朝那无邪的孩子大叫一声，无疑像那《立论》中说了“必然”的客人，“这孩子……”，那么还是不说罢，或者沉默，或者去作一些模糊的“啊唷”“hehe”与“哈哈”。许多自称过来人的人不都这样地过吗？模糊着过，没有自问，逃了追问。他把帽子遮下来，挡住了暗箭与唾沫，却没有挡住这样遗忘后面的背叛。“我梦见自己死在道路上”。这是可预见的生活么？如此，也注定前驱，不返不顾，何况须忍了利镞穿心的疼。

玻璃柜内，平摊着《眉间尺》的手稿，他一身黑衣地凝视着每一个走过的人，我静静地接过那凝视，知道了，他是将自己都烧了进去，不惜身家性命地献出了的人。如他所说，他从不问那些他献出的对象对这般彻底无畏的献出有否回应，能否对起，他不问该与不该，甚至对与不对，他无私地做着，赶快做着，虽然他曾经强调过前提，心痛于那麻木，然而他仍旧做完了他愿意做的事：把那火焰从地下带到人间。为此他不惜自己被灼伤，不惜终于被大石车“碾死在车轮底下”。那大欢喜，较之遗忘，是可以放在一起比的么？生命的泥委弃在地面上。但坦然，欣然。他赢了死，“我先就未曾生存，这实在比死亡与腐朽更其不幸”。他终生都在做着这样的抵抗。有着“人之子”的自认，这样的赤诚，已毫无保留，是容不下任何删节、省略、改写和藏掖的。正义勿须掂量，值与不值，得失之患，诸种使其停顿的东西，在定了的前提下，都是拦其不住的。他有着长年静谧沉淀出的热烈，和借了缄默之炉冶炼出的勇猛。

这是一个爱做梦的人。人说多梦的人心大都是热的。是这样么？只知道他喜欢辣椒是出名的，还有后来才了解到的喜骑马，另一项爱好就是读书了。沉静、善感与勇武、豪侠大约在一般人意识里都是不怎么能一起拼贴的，然而在个别人身上它们谐悦着，看不出不调合之处，相反却融汇得那么好。稽山镜水，养育了这个爱做梦的人，不然不会有离乡的举止，不会有水师学堂、矿路学堂，不会有“大贞丸”号船，不会有彼岸的东京、弘文学院、仙台医学专门学校，不会有浙江的师范学堂、北京的绍兴会馆、北大、女师，也不会有厦门、广州、上海和辗转其间的《呐喊》《彷徨》《热风》和《野草》。这是一个不放弃生的人，虽然周遭大多数人都安于苟活，不问究竟却不是他所能容忍的。所以有对幻灯事件的反应，有事业与投身路线的改变，有喊一嗓以唤起疗治的《狂人日记》，有照镜以引国民自重的《阿Q正传》。

他感慨“以文笔作生活，是世上最苦的职业”，然而也不见其退缩，就是在通缉与暗杀的上海，也未见其放下笔，反而他说，只要活着，就要拿起笔，去回敬他们的手枪。在给山本初枝信中写下这行文字之后，他真的再无避居或搬家。这是一个好梦的人，从看鬼戏听活无常的诉说的儿时开始做，“难是弗放者个！哪怕你，铜墙铁壁！哪怕你，皇亲国戚！”是那几句斩钉截铁的唱词；抽屉里全是洋书只有一本线装《离骚》除外的留日的青年期延续着，“望崦嵫而勿迫，恐鹈鴂之先鸣”一般的禅语最终成为写在了成年西壁上的联句；为《浙江潮》译写参半的《斯巴达之魂》是那梦的一部分。斯巴达三百勇士战死沙场，独一人因目疾而未能参加战斗，得以幸免，妻子引为奇耻以死诤谏。将军建碑纪念，成为国魂象征。是那故事，还有感动非常的武者小林实笃《一个青年的梦》所给他翻译激情的成年，被译者在《新村杂感》里放大了声音，“家里有火的人呵，不要将火在隐僻处搁着，放在我们能见的地方，并且通知说，这里有你们的兄弟”。手一把撕开了规避的黑幔，绝望与希望相缠，墓谒阴阳两面的残文，成尘的微笑，拥抱或杀戮，无所不在的看客，奴隶，中间物，以水养血脚底磨穿的过客，欢喜与悲悯，血和铁，疯与魔，创痛酷烈，简直就是一个个摆脱不开的梦魇呢，时时超出着人所能承有，然而终于，还是借《长明灯》叫出了“我放火！——”。如预备了焚身以火的野草，是不惮于自己的毁灭的。梦想最多的人，却不梦梦，在《听说梦》里，他对“好社会”与“光明”所必经的斗争始终清醒，他没有掉到那玫瑰与花环编织的虚幻的陷阱里去，他不求乞。他不信布施心或是许诺于他的空头的梦，他不骗人。所以《野草》里，那些个三界遍游的梦最终是都醒的，都是大叫一声或是立坐起来回到了人间的。实在是有太多的爱，让他无法放弃，恨与黑暗，都未能掠去那无可置换的生。

然而，他又是一个冷的人。究实质，善揭破，不苟求，不折中，这样的人，对朋友热诚却必是不希冀对方回报同等的，太多的物是与人非使他不存幻想，亲友，敌仇，可以有自己不动的立场，却是并不渴望谁也来效仿的。因为有太多可预见的失望，他不希望自己日后会成了谁的偶像，正如他心中没有谁能使之称神称君一样，他不做任何人哪怕是他崇敬的人的奴隶。他背负镣铐，但拒绝枷锁和捆绑，他是自由的，为此他求着独立，在做不稳奴隶或做稳了奴隶的时代里，他也许是先行得道的唯一的人。我就是我。我不能变成你。更不是拿起放下随人的工具。这一点，是他的底线。那些触及于此的人会得不到他的好人缘，暴躁、不宽容、苛刻、刻薄向来是他们准备好给他戴的帽子，他也不拒绝，戴上无妨，仍旧走自己的路，在界限之内，那是任谁——敌或友、领袖或大师、宗派或政党、前路的铁索或后背的鞭子——都不能动的。他为自己赢得的独立，在那个时代，不是荣耀，而是孤独。是“走吧，走吧”灵魂里的这句话，是一步步，慢慢稳健细致的清道夫式的剥掘与扫除，是疾恶与不屑，是从内部划界，是不投靠，是警觉，是面色灰暗，两颊深陷，是乱发冷硬上竖如黑色的火，是迎了杀戮也要把话说完，是对流氓、痞子、叭儿、二丑们的决不饶恕，是《铁流》，是《毁灭》，是威武，是战斗，是壕堑中的韧战，也不回闪肉搏，是珂勒惠支式的愤怒，是对唯一知己《海上述林》缅怀回应的嘶喊。野地里的纸灰，蘸血的馒头，所见的阴冷使他也阴冷着，却是要发言的，尽管被敌手、“同人”与后人扣着“狭隘”的冠，也还是不封锁喉咙，说真话是他的天性，就这样保持着横站的姿势。他是如黑衣人样提剑独往的人，是敢于对着温热的已死的唇接吻两次并且发出冷冷尖利的笑的人，是敢于劈下自己的头颅也要拼死撕咬不畏强暴的人，这样的人能够吞咽孤独，折断寂寞，横眉冷对，直身作战，却往往会对友军从背后来的暗箭、同一营垒中快意的笑脸估计不足，受了伤，躲入深林，自己舐干，给谁也不知道，“仍然站起来”。这样的境遇，怎能不让人寒心灰心。那才是真正的冷，是彻骨的冷，是无血的冷，是他拼了命也要去焚毁的奴才的冷。

胸中的沙石和草甸积郁着，因为有大希望所以才会一再地大失望，阿Q与夏瑜，风雨如磐与血荐轩辕之间，是黑与红两极，平和与冷静距他实在太远，分明的经纬已勾描好了人生之图，又怎样更改，这样的天性，使他成就了“一个叛逆社会与同时与自己作对的人物”，这颗骚动激越深受抑压从不安分的灵魂是非要学术、创作与翻译这三驾马车去拉才能载得动的。对于这样一个冷到了热的人还能说什么呢？！所以其生活中两次意欲隐居式的彷徨都告了失败。一次是仙台学医，求一本领而救民，然而，投影上是健康却愚钝的国民，疗病的所在还是救心，两年之后，他回到东京拿起了笔，仍然不是喊口号，一如往日的务实。这一年，他二十六岁。另一次是北京钞碑，“古碑里也遇不到什么问题和主义，而我的生命却居然暗暗的消去，这也是我唯一的愿望”。铁屋子里的人最终胜了自己，“希望是在于将来，决不能以我之必无的证明，来折服了他之所谓可有”，于是那位掀翻吃人宴席的“狂人”诞生了。这一年，他三十九岁。

他太爱那独立了，所以才有这两次“丛林之旅”，然而，血热的人，丛林终不能成为他的栖居之地，“我愿意休息”。“但是，我不能……”。“还是走好”。还是走吧，往哪里走，是回到人群里？“回到那里去，就没一处没有地主，没一处没有驱逐和牢笼，没一处没有皮面的笑容，没一处没有眶外的眼泪。我憎恶他们，我不回转去！”那么，还是在无路处辟出路来，如那中年的黑衣过客，别了老翁，别了女孩，还是走，只得走。

这人是谁？——“我就只一个人，我不知道我本来叫什么。我一路走，有时人们也随便称呼我，各式各样的，我也记不清楚”。

这人从哪里来？——“我不知道。从我还能记得的时候起，我就在这么走”。

这人要到哪里去？——“要走到一个地方去，这地方就在前面。我单记得走了许多路，现在来到这里了。我接着就要走向那边去，前面”。

这个爱独立甚于爱生命的人，在野地无人之处，尝试走着一条属人的自己的道路。路真的走通了，刺、荆棘都未能挡住他，大地从他流血的双脚见识了人的骁勇、善战。

别了。路没有给予许诺。然而，只是走。

“有我所不乐意的在天堂里，我不愿去；有我所不乐意的在地狱里，我不愿去，有我所不乐意的在你们的黄金世界里，我不愿去。

“……然而我终于彷徨于明暗之间，我不知道是黄昏还是黎明。我姑且举灰黑的手装作喝干一杯酒，我将在不知道时候的时候独自远行。”

这是一场没有指令的行军，行者自己就是头领和将军，这是只有一名战士的部队，所有的武器，只是一支称为“金不换”的笔。走着。因了爱而决绝，因为承负而爱着，别了青春，别了中年，别了静谧和彷徨，迎面驰来的是狂飙与呐喊的晚年。

为大多数被压迫者说话，为最底层生活的人做些事，这就是他了。

在火里烧过，在水里淬过，爱与憎、冷与热、死与生，静谧与狂飙，死中之生爱中之憎，热中之冷，新知与传统，诸多反题都在他心中燃过，这就是他了。

不惜自己躯体做了那撞沉钟的锤，却从不以自己的粉碎为戚怨的人，这也是他。

不辱真正知识分子之承负，无论病苦，终生执笔回应良心的人，这也是他。

——“他是一个很普通的人。身材矮小，常穿一件黑色的短短旧长袍，臂弯上，衣身上打着惹人注目的补丁，皮鞋的四周也都缝补过。不常修理的头发粗而且长，根根直立，使整个方正的前额袒露出来。两条粗浓的眉毛平躺在高起的眉棱骨上，眼窝微微凹陷，眼角朝下垂着，仿佛永远挂着忧郁。在突出的颧骨周围，满布着深刻的皱纹，浓密的短髭一直遮掩到唇际。总之，样子是一点也不奇特，既不威严也好像并不慈和。说起话来，声音平缓而清晰，既不抑扬顿挫，也不慷慨激昂，那拿着粉笔的两手，也从来没有作过任何姿势去演绎他的语言。”这是后人笔下他的画像。

如今，这个人就在离我书桌不远的上方，正对着握笔写下这些文字的我，与往常一样，接过他的凝视，渐渐已成这些年来面壁写作的人的必要功课。

那么，走吧。

毕淑敏

著有长篇小说《红处方》《血玲珑》《拯救乳房》《女心理师》《鲜花手术》等。近年出版《带上心灵去旅行》《非洲三万里》《破冰北极点》《毕淑敏母子航海环球旅行记》《藏在这世界的优美》《终要有一场触及灵魂的旅行》等20余部旅行书籍。

# 无骨的花灯，有骨的仙女

仙居有一特产，无法顾名思义领略它的美丽与繁复。

“仙居无骨花灯”——分开来，每个字都识得，合在一处，若无亲睹，断乎想象不出它的奥秘和辛劳。

古人恒久不变的光明来源，白天取自阳光，暗夜要靠烛火。灯是被驯服的光焰，花灯便是行走的骄阳。

花灯的来历很多，独喜一说。古时有只神鸟迷路凡间，被不知情的猎人射杀。天帝震怒，欲为神鸟复仇，遂令天兵于正月十五日将大地焚净。天帝之女不忍看生灵涂炭，提前将消息透露人间。众人皆慌，一老者说，不妨在这天家家挂灯笼、燃爆竹、放烟火……让天帝以为人间已爆发大火。到了那天晚上，天兵果然眺望地面一片红光，以为自燃，天帝便收回了成命。人们活下来，从此每到正月十五，家家户户悬灯放烟花，纪念死里逃生。这故事里有误会与愤怒，有肆虐与谍报，有智慧和侥幸，更有漫天赤焰和久远奠念。

参观了仙居的针刺无骨花灯博物馆，拜见了瑰宝的传承人。这灯获奖无数，荣获联合国教科文组织认证评审的“2014 世界杰出手工艺品徽章”。心中笃信的花灯故事开始动摇，只因这灯太柔美了，只怕天帝不会上当。

花灯的工艺十分单纯。先取彩色电光纸，内附朦胧的半透明白纸，再辅以韧纸。三纸叠加后，原料基本齐备。再将竹筷截断，劈成两半，取一支 12 号绣花针镶夹其中，最主要的工具也置备妥当。将拟好图案在素纸上绘出，可人物、可花鸟、可山水、可文字……以绣花针笔直戳于纸上，手起手落，针孔绵延。无数小洞洞起承转合，勾勒出玲珑的曲径直线。朴素又颇有寓意的线条，组成古朴典雅形态逼真的图案。后将刺好针孔的各组纸片，以白胶粘成圆、方、梅、菱、鼓、六角、八角等结构，纸张缀起坚固整体。约十数道工序，一枚仙居皤滩花灯方呱呱落地。

初见，这灯谈不上富丽堂皇，只凭精致小巧，让人疼惜。一旦燃亮灯光，花灯轻如鸿毛的躯体中，突然弥散出皎月般澄澈的光芒，如同慑人肺腑的香氛，悠悠地散播开来，直抵你心中最幽深的缝隙。花灯的每一张纸片，都千疮百孔。被刺伤的累累孔痕，组成瑰丽图案，在胸中之光照耀下，熠熠生辉，让人陡地想起多舛的命运与不屈的灵魂。

我见到仙居无骨花灯非物质文化遗产继承人王汝兰阿姨。笑容粲然和暖，她已 82 岁，每日仍刺灯不止。她老人家美丽而聪慧的媳妇陈彩平，是第二代传人，花灯技艺在她手中不断发扬光大。

陈彩平说，整个花灯没有一丝内在骨架，全靠物理力学原理彼此支撑，如此光芒普照时，才不见丝毫阴影。制作一盏普通的灯，要花数天到十天，至少要刺 10 万针。若是大灯，便要刺几十万上百万针，时间需几个月。每针都要平稳妥帖，针斜了，光的线条便糊了。若针孔大小不一，光芒也会粗细不等。一旦这种情况出现，她都会毫不犹豫地销毁灯片。12 号绣花针的直径只有 0.45 毫米，执针人需全神贯注，心态澄净，气息匀称，眼眸清明，手力平衡，身心融汇……人的状态，犹如幽蓝的万古深潭，波纹不起。

“执”这个字，在篆书中，为手铐之形，表示人被抓住了。梵语中，指对事理不舍，佛称“迷执”。仙居的灯和人，都“执”得深沉，“执”得流光溢彩。灯，是菲薄的纸做的，注入的力道却顽强不息。10 万 + 的锤炼，可锻造一柄寒凛宝剑。十万 + 的锋利针刺，方成就一朵温煦花灯。

千百万次的伤痕，加上心中光焰，组成人间绝美图案。无骨花灯背后，执立有骨的仙女。

肖克凡

著有长篇小说《机器》《生铁开花》《天津大码头》《旧租界》等八部，小说集《赌者》《最后一个工人》《蓝色鸟》《蟋蟀本纪》等18部，散文随笔集《镜中的你和我》《我的少年王朝》《一个人的野史》。天津市作协副主席，中国作协全委会委员。

# 海底捞出的铜官窑

1998年印度尼西亚的勿里洞岛海域，一艘沉没多年的船舶被打捞出水。令人讶异的是从这艘沉船出水67000件货物里，竟然有56000件瓷器。从刻有“宝历二年七月十六日”的瓷碗题记推断，沉船为公元九世纪上半叶。几经专家学者鉴定，终于确认这是1200年前的阿拉伯帆船“黑石号”，满载中国唐朝货物。

中国唐朝，活生生湿漉漉展示面前。56000件瓷器均来自中国长沙窑。

一件件精美如新的唐代瓷器沉睡海底，历经千年轮回，终于掀起历史帷幔，走出藏娇龙宫，露出美丽容颜。长沙窑瓷器，浮出水面新生了。全世界都知道，中国有个名叫长沙的地方，长沙有个名叫望城的地方，望城有个名叫铜官的古镇。

《鉴略妥注》载：“舜陶于河滨，而器不苦窳。”意为舜率领先民制陶于湘江沿岸。以致后来铜官镇民俗，仍然尊舜帝为制陶祖师。

另有《水经注》云：“铜官山，亦名云母山，土性宜陶；有陶家千余户，沿河而居。”此域盛产陶土，有唐以来，窑业勃兴，龙窑百座，陶工万人。

这里所说铜官地方，扼湘江之咽，为三国吴蜀必争之地。曾因官府在此造铜，故而得名。然而，令铜官更为出名的是陶瓷业。

千年之后聚焦铜官古镇地方，依然能够寻到古代窑口遗址，星罗棋布。经专家确认定位“长沙铜官窑”古遗址，坐落在石渚湖畔的谭家坡。

访古寻往，就要寻觅长沙瓷的“代表作”。沿着历史长河溯源，便是盛产陶瓷的“谭家坡遗址”，也是铜官窑世界陶瓷釉下多彩的发源地。

如今，古老的“谭家坡遗址”，已然建成“谭家坡遗址馆”，一个“馆”字不得了，说明当地政府对历史文化遗存的保护，充分而自觉。

谭家坡古瓷窑遗址依山而建，自上而下，宛若一条长龙，静卧于红壤山坡，故名“龙窑”。胎土之作，造化之功，龙窑遗址由制坯与烧制两片区域组成，完整涵盖从采泥到成瓷的生产过程。我看到炉窑底部排列整齐的匣钵，好似定格在烧窑的劳作场景。

谭家坡古窑址废墟上，堆积厚达数米的残瓷碎片，凝固着晚唐时光，印证着五代窑火。身临其境打量遗址破碎瓷片，似留有古代余温。现场残存的瓷器，烧制有“赵、周、元”诸多姓氏名款，说明此窑为民间多家合作经营。还有瓷器残片留有“开成三年”“咸通 X 年正月”纪年铭文，证明公元 9 世纪中期前后，这里正值长沙瓷的鼎盛时期。

长沙窑，大唐造。长沙窑所产陶瓷不仅畅销华夏大地，更是通过“海上陶瓷之路”大量远销东亚、东南亚、南亚、西亚、北非，成为名副其实的世界级商品。

然而，这座铜官古窑遗址20世纪50年代才被考古发现，其面世“年龄”不足甲子。令人费解的是沉船“黑石号”出水大量铜官窑瓷器，佐证着铜官成为唐代外输陶瓷的繁盛之地，却从来不见任何史籍关于长沙窑的文字记载。

就这样，鲜为人知的铜官古窑，漂洋过海的长沙瓷，愈发引起后人关注。好在望都建起铜官窑博物馆，好似筑起陶瓷历史长廊，展示唐代铜官窑的来龙去脉，还原烧制长沙瓷的工艺原貌。

长沙窑火在中唐时期兴盛起来，以烧制远销海外的瓷器为主，成为陶瓷外销的著名产地。饱览长沙窑陶瓷，多为日常生活用品，碗、壶、罐、瓶、盂、灯、笔洗、熏炉、碾槽、扑满……大到粗壮的缸，小到睡眠的瓷枕，一件件瓷器陈列面前，古代世俗生活气息扑面而来，令人备感亲切。

从“黑石号”里出水的长沙瓷器，存量最多的是青釉褐斑小碗。铜官窑博物馆展出的这种小碗，碗心绘制西亚文化元素的纹饰，比如飞鸟和花草；另有镌刻阿拉伯文字的背水壶，以及西域地区流行的带流灯……这无不证明长沙窑属于唐代“外向型企业”。

模印贴花是长沙窑的特色装饰，它是将瓷器所需纹饰的贴片，手工粘贴在坯胎上，施加青釉时在贴片部位增加褐斑，使得纹饰更为凸出，色块醒目。铜官窑博物馆展出青釉褐斑模印贴花执壶，据说这种技法是从中亚鎏金银器借鉴而来，浓郁的异域风格融进长沙瓷器。

青釉褐釉酱釉绿釉黑釉茶色釉白釉红釉窑变釉，尤其铜红釉为长沙窑首创。至于“釉下彩绘”更是长沙窑的特色装饰。尽管长沙瓷器多为居家生活用具，依然蕴含着对美的追求，本身不乏艺术含量。

长沙窑的工匠们，将一行行中文或阿拉伯文的诗歌，镌刻于胎坯，覆盖在釉下，烧制成精品。

“万里人南去，三秋雁北飞，不知何岁月，得共汝同归。”“日日思前路，朝朝别主人，行行山水上，处处鸟啼新。”

这一首首诗歌烧制于日常生活瓷器上，流露出美好的艺术气质与文化内涵。同时，这些以瓷器为媒介的诗歌，以书法形式表现出来，于是大唐书法真迹随着瓷器，走进千家万户，上厅堂，下厨房，流存至今。

长沙窑不光镌刻诗歌，还有格言、警句、对联，呈现独特的美感与韵律，使得瓷器成为“诗书同体”“图文并茂”的传世珍品。

诗文与绘画入瓷，乃是瓷器装饰的重大变革与创新。长沙窑以实物载体记录着时代脉搏的律动，其历史价值不可低估。

我无意间在玻璃展柜里看到一只残破的油瓶，一首诗歌烧制其上，跃入眼帘：“君生我未生，我生君已老，君恨我生迟，我恨君生早。”

这首脍炙人口的民间诗歌，举凡诗集作者皆署“唐无名氏”，殊不知它也出自唐代长沙铜官窑瓷器题诗，于上世纪 70 年代在望城铜官窑遗址出土。据专家分析，这首诗可能是流行于民间的歌谣，也可能是当时窑场陶工随手所作。无论怎样，这件长沙窑瓷器都成为唐代诗歌流传至今的“活化石”。

凝土为器，化泥为宝。一件件极具历史与艺术价值的精美瓷器，陈列在铜官窑博物馆里。现实近在眼前，历史远在天边；既发思古之幽情，且行走于今日热土。

走进继承古老文化传统的“铜官窑手工陶艺厂”，参观那尊刻有铭文的唐缸，令人感到古镇焕发青春活力，可谓兴盛于唐，创新于今，生生不息，后继有人。

谒书堂山，访乔口，观靖港，于千龙湖剧院欣赏湖南花鼓戏，皆与古老陶业有缘。

宁 雨

名郭文岭。现任《当代人》（原《河北文学》）杂志主编。中国作协会员、河北省散文学会副会长、河北省文艺评论家协会理事。文学作品散见《人民日报》《光明日报》《长城》《湖南文学》《读者》《散文百家》等，部分收入国内散文年度选本。曾获河北散文三十年突出贡献奖、全国孙犁散文奖等。出版散文集《女儿蓝》、长篇小说《天使不在线》。

# 白露蚂蚱肥

大清早起，洼里白茫茫一片雾气。庄稼地里走着，鞋帮裤脚被露水打得精湿。蚂蚱的翅膀上也挂了白白的露珠，栖在同样挂了白露的草头打盹，人一过，惊得扑啦扑啦在裤腿上乱撞。拽一根狗尾草，逮蚂蚱吧，左一只，右一只，蚂蚱脖儿下边有条缝，草节前边穿进后边穿出，蚂蚱就成了一根草的俘虏，任两条带倒刺的大刀腿儿在空中蹬达，跑是跑不掉了。照这个法子，一会儿能逮一大串蚂蚱。

白露蚂蚱肥。逮一只，搁灶火膛的灰烬中，很快屋子里便有了些微的焦香气。我们家，我和姥姥的狸猫小米是捕捉这种香气的行家。这个节骨眼上，要沉住气，假装朗读一篇课文或者帮着大人几粒蒜。直待香气藏不住了，满屋子蹿，赶快拿烧火棍，把蚂蚱扒拉出来。翅膀早化没了，只剩下烤得暗红油亮的蚂蚱肉身，捡在手上，烫，两手来回倒腾着，嘴巴不停吹着上边的灰，涎水四溢。

庄稼开始一拨一拨往回收了。快绿豆、春花生、早山芋，地里一开镰，隐匿的蚂蚱失离家园，一时乱了方寸，满世界飞。大人小孩，不管干什么活计，或在地里疯耍，到晌午了，都会提溜着一串蚂蚱回家。劳累一天，饭桌上摆一盘子油炸蚂蚱，是相当解馋提气的。逮回家的蚂蚱，掐了翅膀收拾干净，甩上一把粗盐粒子腌个半晌，一勺黑油慢慢炸透，那个香，透到骨髓里，一辈子都是香的。这两年农家饭馆儿有炸蚂蚱卖，却再也找不回那时的香味。于是想念那时的蚂蚱、粗盐和黑油。粗盐还在，海边晒盐场里堆成白色的盐山，叫原盐。黑油是熟棉花籽压榨的，在我故乡早已绝迹。其实黑油挺香，村村开油坊榨棉籽油，炒棉籽的苦香弥漫整个冬天的村街。一物克一物，是上苍的安排，炸蚂蚱跟黑油、粗盐，绝配。

我喜欢逮蚂蚱这个游戏。我们村的孩子，都是把逮蚂蚱当作游戏的。穿过小白河到大洼里打草拾柴，没谁催着，掂起个荆条背筐风一样地跑，满心眼里就是玩。找到一根甜甜的玉米青秸，吭哧吭哧大啃大嚼，好像全世界的甜都在这一根青秸上。我们管这青秸叫甜棒。姥姥说，我吃起甜棒来，简直就是个小牛犊子，没一点女孩样。但到底不比牛犊，能把食物省起来，半夜倒嚼，我们是吸干汁水，留一地渣滓。苘麻籽、灯笼棵籽，都是吃物，到嘴里涩涩的，却硬是吞咽得满腹生香。坟堑子里有野生枸杞，红艳艳在坟头眨着眼睛，同伴说那叫“鬼点灯”，然后我们一起奓着胆子去摘来吃，很有些惊险刺激。但这些都不敌逮蚂蚱游戏。在昆虫中，蚂蚱属于直翅类，体形硕大又异常机灵，两条大刀腿一跳能跳个两三米，好不容易快追到了，身体几乎趴到地上，手刚扣住它的翅膀尖，它一挣，扑棱棱飞起，在空中停一下，似乎要落下，却是一个远飞前的假动作，逗你玩的。逮蚂蚱的人眼巴巴望着，只顾得蚂蚱，胳膊肘一松，弄个嘴啃泥。我为了追一只绿翅膀绿身子的蚂蚱，曾经从一块山芋地跑到另一块棉花地，中间隔着花生地、北瓜地，蚂蚱没追到，翻回去找自己的草筐，怎么也不见了。

我们村的狗二是逮蚂蚱高手。他只有一只眼睛，另一只是瞎的，据说小时候害眼病没办法医治，医生给剜掉了。狗二家只有他和他娘过日子，从春到冬有蚂蚱吃。狗二身高马大，脚力像神行太保戴宗，生产队派他护青。狗二也真不负众望，在长达二十多年的护青史中，曾只手捉到两个半夜偷棉花的贼，一男一女，是父女俩，外县的，家里遭了不幸，告借无门，走投无路，最后一咬牙一跺脚，偷。狗二收了他们的棉花、车子，却放了人。天亮给生产队长交战利品，手里还捎着一串蚂蚱。队长嫌他不请示就随便放人，把蚂蚱没收作为惩罚。晌午，队长家的餐桌，多了一盘油汪汪的炸蚂蚱。狗二狠起来也真挺狠的，我家隔壁二姥姥打草顺便搂了两把嫩苜蓿，这家伙火流星似的到了跟前，二话不说，上去一脚把老太太的筐踩个稀碎。王老五家的小六子，在玉米地里找甜青秸，被狗二撞个正着，一路追打到村里，给吓丢了魂儿。

狗二他爹是发大水那年饿死的。大水过后闹蝗灾，蚂蚱铺天盖地，人走在大洼里，落一身蚂蚱，一抖落就半簸箕。蚂蚱吃光了嫩草，也吃光了庄稼的嫩叶嫩梢，拉一地蚂蚱屎。聪明人料到一秋颗粒无收，到大洼里逮蚂蚱，扫帚在半空一挥，地上便是一层，用筢子搂，用麻袋装，到家，架起大柴锅干包蚂蚱，晒满院子、满屋顶。一村子人跟着学，另一个村又跟这个村学，几天之间，活包蚂蚱的味道充斥乡野。狗二他爹行动慢，等他想起逮蚂蚱的时候，灭蝗机来了，从天空播农药，蚂蚱毒死一洼。狗二他爹舍不得那么多又肥又大的蚂蚱，趁管理人员不备，偷偷收了两麻袋。粮食所剩无几，他尽着老婆孩子吃，自己吃蚂蚱磨的面，吃了几次没事，放心大胆起来。正准备让老婆孩子也开吃，忽然夜里闹肚子疼，疼了半夜就咽气了。村里人吃着蚂蚱磨的面，埋葬了狗二爹，那以后再没闹过蝗灾。

有人说狗二是蚂蚱精附体。地里蚂蚱再稀少，他每天下工也能捎一两串回家，绿翅膀的蚂蚱，褐色翅膀的蚂蚱，还有小脑袋长身子的“老单”，神出鬼没的小油蚂蚱，一见到狗二，都服服帖帖愿意当他家盘中餐。庄稼快熟的时候，护青的开始巡夜，这是狗二大量收获蚂蚱的好日子。我无数次想象着，在白亮的月光下，高大的狗二如何矮下身子，偷袭蚂蚱的大本营，一如鲁迅先生的少年闰土，在一轮金黄的圆月下，手捏一柄钢叉，向一匹猹尽力地刺去。闰土的银项圈雪亮，狗二的独眼亦雪亮。

有一次我跟狗二都看上了一只花翅膀的蚂蚱，狗二说是他先看见的，我说是我先，谁也不让谁。当然狗二比我有办法对付“花翅膀”，他逮到，却马上送给我了，我对狗二感激得不知如何是好，马上喊了一声“狗二舅”。狗二比我们那帮小孩岁数大多了，辈分也高，有的该喊他叔，有的还要喊他爷，但大家都是喊他狗二。狗二忽然听见我喊他舅，似乎也感激得够呛，独眼盯着我，非让我再喊一声。那只“花翅膀”弄回家，没有油炸，也没埋到灰烬里去烧，我把它养在瓶子里，给它吃院子里的丝瓜嫩叶，细心伺候着。第二天，“花翅膀”却死了，姥姥喂了家里的芦花大公鸡。

村里流行一个菜，叫炸蚂蚱脖儿，却跟蚂蚱无干。大红袍辣椒晒透了，穿个绳挂在门楣上，炒菜丢进半个，能多下一块高粱面饼子。有的人嫌不够味，做炸蚂蚱脖儿，以干辣椒切段儿，加粗盐、葱花、芝麻，黑油爆炒，又咸又香。这样的辣椒段，褐红，油亮，吃起来脆香，还真像炸蚂蚱脖儿。炸蚂蚱脖儿，吃多了上火，能把整个口腔给烧掉一层膜儿，疼得无法进食。我爷爷做的炸蚂蚱脖儿特别好吃，说是跟狗二学的。狗二跟我姥姥一个村，跟我爷爷是邻村。我爷爷如何认识狗二的，我真没问过。

狗二死的时候还不足七十，跟他爹一样，也是肚子疼半夜就咽气了。狗二死后，饭桌上还剩半盘子炸蚂蚱脖儿。爷爷说，蚂蚱是大发物，不能多吃。狗二吃了一辈子蚂蚱，体内积攒的火气太多，把自己给烧死了。他的死，跟炸蚂蚱脖儿无关。

葛一敏

《散文选刊》主编，中国作协散文委员会委员。主编《最散文》，《年度精短散文选》，《建国六十年历史文化散文选》，《新世纪散文选：一本杂志与一个时代的表情》，《年度华文最佳散文奖获奖作品选》等。

# 无边无际的草原

## 对准自己的一枪及人工湖

那天。那天，6月18号，从北京到达齐齐哈尔市已近黄昏。许多年前曾经路过齐齐哈尔，丹顶鹤故乡，著名老工业基地，这是齐齐哈尔留给我大致的印象。现在匆匆而过的城市建筑，依然彰显齐齐哈尔这座老工业城市的风貌，城市建筑——留给一座城市抹不去的痕迹，一座城市——留给一代人、甚至几代人抹不去的记忆。车子沿着齐齐哈尔市区街道驶向通往阿荣旗的高速公路，傍晚暮色里，不忍错过车窗外的一切，窗外近处青草和树木绵延无尽，窗外远处依然是绵延无尽的青草，树木，草连着草，树连着树，草连着树，树连着草。夜色渐渐浓重，青草、树木渐渐变得模糊，没有界限，没有边缘。

那天，22号，从阿荣旗到牙克石，到凤凰山庄。来阿荣前，艾平主席强调说从阿荣旗到牙克石，我们要翻越大兴安岭，即从大兴安岭岭东到大兴安岭岭西，感知兴安岭的情怀，听着艾平主席极富煽动力的语言，我心里充满好奇和疑问，——兴安岭情怀？也许有着这样的期许，从阿荣出发进入到林区公路，一面听着艾平主席的介绍，一面一直盯着兴安岭的一切。当艾平主席说到那位漂亮的苏联隧道设计专家，误以为自己的设计出了问题开枪自杀时，有火车正在有节奏地行驶在黛青色的兴安岭，这给了我极大的冲击和震撼，我一次一次还原故事，如果再等几分钟，或者仅仅一分钟，她设计的隧道打通了，黎明前的黑暗就要过去，霞光万丈，可是她不能够原谅自己的失败，她等不到那一刻，她对准自己举起了枪。后来，就是这样没有了后来。车上气氛有一些沉闷，有作家深情唱起了《走向这高高的兴安岭》：走上这呀，高高的兴安岭，我瞭望南方，山下是茫茫的草原哟，它是我亲爱的家乡哟。清清的昆都仑河昆都仑河哟，我在那里饮过马哟。连绵的大青山大青山哟，我在山下放过牛羊哟……歌词是兴安岭的写照。这时候，这经典老歌，让万千感慨的心，催生出无限暖意。

牙克石，凤凰山庄，地理位置应该是在兴安岭岭西，我一直想它也应该属于兴安岭，青草中那样多单瓣野生牡丹？或者芍药？奔跑的健壮麋鹿，风情十足的木刻楞，清澈、蜿蜒的河水，告诉人们这里是童话般的田园。但是凤凰山庄，让我不能释然的是那个人工湖，这个人工湖，是德国汽车公司专用湖，这里冬季零下40多度，湖面结满厚厚的冰，冰湖上是测试汽车性能最佳的方式之一。一方面，我惊讶、钦佩德国人严谨、科学的态度，一方面，我又禁不住这样想：如此辽阔、幽深的湖面，原来是草原？是河流？是郁郁葱葱的森林？那时的草原——盛开着奇异的花朵，那时的河流——生长着漂亮的鱼虾，那时的森林——栖息着精灵一样的飞鸟。

那天，22 号，从凤凰山庄到新巴虎左旗、右旗。无疑，这又是一天行程，中午在左旗，看到野罂粟，误为金莲花，野罂粟花散发着不为人注意的淡淡香气，在承德塞罕坝见过这样的花，于是错把罂粟当金莲，也许罂粟、金莲是近亲，如此接近的吧。旗宣传部介绍：这里有储量十分丰富的煤田，为了后代子孙，这些煤田沉默在草原深处。又是一个黄昏，且是一个微雨的黄昏，右旗以他们隆重的礼节迎接我们，友善的牧民和孩子们在雨中不肯回到蒙古包，他们看着我们转身，看着我们离开，田园狗在雨中奔跑，好一个“又见炊烟升起，暮色照大地”。

那天，6 月 24 号，早饭后从右旗到满洲里。也许因了最后一天行程，也许因着这次采风即将结束，就要离开这里离开草原，回到内地什么时候再来呢，所以 24 号的时间在心里珍贵起来。满洲里的路边点缀着叫不出名的小小花朵，也许是雏菊吧，漫无边际，它们是从哪里开始的呢？艾平主席说这里的草原是可以看得见地平线的草原，我想也许它们是从地平线那里开始的吧。我跟邻座的朋友说，想好了题目：无边无际的草原。

**光荣的旗帜**

参观东北联军纪念馆时，我思绪难平。抗日联军，是指从 1939 年至 1942 年间东北抗日联军三进呼伦贝尔开展的艰苦卓绝的抗日游击斗争的那段历史。当在阿荣旗那吉镇看到、参观抗联园，当讲解员已经讲述下个图展，甚至又一个图展，我还定定地站立在杨靖宇图展前。杨靖宇是抗联园众多抗联英雄中的一位抗联英雄，他是我的河南老乡，牺牲时年仅 35 岁，他是东北抗日联军创建人和领导人，杨靖宇牺牲后，当残忍的日军割头剖腹，发现他的胃里尽是枯草、树皮和棉絮，竟无一粒粮食，也无不为之震惊。和杨靖宇一样，抗日英雄吉鸿昌，也是一位河南人，吉鸿昌临行前这样说：“我为抗日而死，为革命而死，不能跪下挨枪，死后也不能倒下，给我拿把椅子来！”同为河南人，同为抗日英雄，杨靖宇牺牲时 35 岁，吉鸿昌牺牲时 39 岁，风华正茂的年纪。我在想：杨靖宇的后人，是否也来到过这里，来到草原深处的阿荣旗那吉镇，杨靖宇的事迹在这里被敬仰、缅怀。曾经编选过一篇文章，其中有这样一封信，日本侵华战犯赤坚柏仓充满悔恨、自责和泪迹的信：“为了赎罪和虐惩自己，我决定把带着灵魂的骨灰厝撒到中国的土地上——一部分厝撒到山西安邑县的骡马市场上，让那里不是人的东西来经常踩踏……”在另一篇文章里，我还看到《一个日本留学生写给中国领导人的信》：“还有我同样不理解你们对日本战后赔款的放弃。在这个世界上，没有哪个民族再像中华民族这么对外隐忍、对内残酷的了。这让我想起了以色列和德国的关系，说实话我很佩服以色列人，他们对德国人不依不饶的态度，表明了他们重视自己的价值和权利，他们没有原谅德国人，但德国人却敬重他们。”在抗联英雄园，想起这些文字，我的心情异常复杂。

与杨靖宇将军分处于不同的年代，还有一处当代英雄的纪念馆。已记不清楚全民学习宣传王杰的准确时间，时隔这么多年，在阿荣旗王杰广场、王杰纪念馆，重温王杰故事，感觉和教科书还是有一些距离，教科书忽略了英雄很多细节，王杰原来是阿荣人，他从祖籍山东跟随父母来到阿荣，参军到了徐州，在一次军事训练中，为了掩护 12 名民兵和武装干部壮烈牺牲，他留下著名的口号：一不怕苦，二不怕死，毛主席说他赞成这样的口号。王杰把生命留给了 12 位民兵和武装干部，光荣留给了第二故乡，光辉的名字写在阿荣的土地，他也把爱情留在了这里，王杰的未婚妻现在生活在阿荣。多亏阿荣王杰纪念馆这样详细的介绍，也许纪念馆想要给人们一丝宽慰。

像王杰一样，不应该被后人淡忘的还有一个庞大的群体：知青。第一次听到知青博物馆，并且在偏远的新巴尔虎右旗，一方面纳闷，是什么样的博物馆？一方面急于参观，因我的姐姐也是当年的知识青年，那时她刚刚高中毕业，就响应号召下了乡。很多年后，当她返城，当她大学毕业，当她一次次不厌其烦给我讲述她下乡经历，讲述她的战友们，讲述永远留在农场和当地人结婚生子、扎根农村、建设农村的同寝好友，讲述因意外而永远留在那块土地的年轻生命，我终是没有勇气问姐姐，对于她们这一代人，怎样看待评说当年的上山下乡，他们曾经青春无悔，今天回忆当年是否依然青春无悔？假如还会有这样的全国全民运动，她们还会像当年一样，在父亲的期待、在母亲的泪光里，无怨无悔告别家乡，在广阔天地里炼就一颗红心？站在这里，我想回去后一定要跟姐姐说，新巴尔虎右旗有一个知青广场和一个知青博物馆，无疑这是我见过最内敛的知青广场和我见过最朴素的知青博物馆，和许多广场不同，知青广场的大理石雕塑群没有占据广场主要的活动场地，而是沿广场边沿一角一字排开。和许多博物馆不同，博物馆大门也不似普遍高大威武的博物馆大门，正对着车水马龙的大街和闹市区，知青博物馆大门黑白原色，在广场的后面，如果不注意不留意是不会轻易发觉那扇门的。知青博物馆馆藏大量黑白照片，农具，那个火热年代的各种书籍，当然主要是语录，标语，口号，真实还原了她们一代知识青年上山下乡的岁月，还原那个特殊时期，还原一代人的特殊时期。

现在，我真的后悔没有在知青博物馆留言簿留言，我想我会这样写：感谢提议建造知青博物馆的有心人，这是一座会说话的博物馆，是一代人青春和理想的再现、归属。

## 草原上升起不落的歌

在草原的几天，听得最多、一遍一遍心里默唱的是《父亲的草原母亲的河》，这首歌的词作者席慕蓉祖籍内蒙古，她在台湾怀念千山万水之外的家乡蒙古高原，她怀念蒙古高原父亲一样挺拔的森林，她怀念蒙古高原母亲一样宽厚无边的草地，歌词写好后搁置了很久，后由蒙古作曲家谱曲，而唱响大江南北。

从草原回来后，我跟朋友说，只有到过草原，才知道草原的辽阔无边，只有到过呼伦贝尔，才知道草原的歌为什么深情动人。

我想我一定会再回到草原，明年夏天，也许冬天，冬天那里的雪，那里盛况的那达慕，那里友善的牧民，那里真诚的朋友和陌生人。那就在冬季回到草原吧：茫茫雪原，雪覆盖草原，让我们深信：就像与生俱来的青草河流山冈，草原生长着童话，如果说时间还存有童话，那么草原，就是童话发源地，就是童话的源头。冬天，到草原，冬天，到童话的草原，我似乎从来没有像现在这样期待冬季来临，期待漫天大雪， 夏天的蝴蝶，已经幻化成漫天飞舞的雪片，大雪中，白桦树依然像夏天那样秀气挺拔。回到草原，回到牙克石，阿荣，左旗右旗，回到林间小路，回到猎民点，回到冷极点，再回到驯鹿场，玛丽亚索奶奶家那头小鹿，在冬天已经长大，我想再一次看到它的眼神，它伴随草原的风长大，它的眼神一定不会发生变化，玛丽亚索奶奶的家人赶着它，它健壮漂亮，在雪原在林间走在迁徙路上。

草原啊，呼伦贝尔就是一首歌，草原的歌，流淌的歌，不息的歌，草原上升起不落的太阳，草原上升起不落的歌。

再见草原 。

# 记忆

JIYI

李培禹

曾任《新闻与写作》杂志主编、《北京日报》副刊部主任等职。现为北京市杂文学会秘书长、北京市东城作协副主席、北京作家协会会员、中国作家协会会员、中国传记文学学会理事。作品曾五度获得“中国新闻奖”，也是首届“孙犁报纸副刊编辑奖”“第八届冰心散文奖”获得者。

# 北京新人二章

### 宝盆儿和他的“阿大”

宝盆儿姓居，出生那天，兴奋的奶奶说就叫宝盆儿吧，“聚（居）宝盆儿”，全家通过。“阿大”是带他长大的保姆。从他出生到一岁多，就得到一位安徽籍阿姨的日夜照管，宝盆儿一天天长大，从未磕碰过。从孩子与阿姨的亲热劲儿看，盆儿的爸爸妈妈尽可安心地去上班了。爷爷奶奶、姥姥姥爷也是出于自己对隔辈孙儿的喜爱，经常过来看看。用盆儿妈的话说，你们尽瞎操心！

现在的孩子聪明自不必说了，宝盆儿还是一帅哥坯子，谁见了都叫一声“帅盆子”。一岁多了，他学会了叫“爸爸”“妈妈”，欣喜得妈妈止不住地亲儿子。可叫“阿姨”却成了难点，怎么也学不会，宝盆儿一叫就成了“阿——大！”“阿大”不在意，满心欢喜地报告外人，我家宝盆儿会叫我了。

没想到，亲亲的阿大家里出了点事，不能再照看宝盆儿了。临走前，她比全家人都着急，终于把又一个“阿大”领进家。当然，这个保姆也是她的安徽老乡，“知根知底，可放心。”一岁多的宝盆儿不知道发生了什么事，晚上睡觉时哭着闹着找“阿大”。新阿姨姓刘，叫琴芳。显然她已熟知孩子的一些习惯，赶紧把蓝色的大枕头拿到宝盆儿身边，让他的小手能摸到，然后把奶嘴让宝盆儿含着，轻轻拍打着哄他睡着了。

宝盆儿仍然只会叫“阿大”。也许这个阿大身上有不少原来那个阿大的影子，小宝盆儿很快适应了新阿姨。人说男孩说话晚，宝盆儿好像更不着急学说话；人说贵人话语迟，宝盆儿就像把自己当贵人，很少开口说什么。全家人都急着教他说话，宝盆儿只是“嗯、啊”地敷衍着，也说不出大人想听到的“好听的”。无奈，慢慢来吧。可与他交流就成了难题，尤其是双休日，爸爸妈妈围着他，买了好多儿童食品，做了好几样饭菜，宝盆儿一点不买账，连看都不看一眼。妈妈急呀，孩子不吃饭影响健康啊！只好拿出巧克力哄他，你好好吃饭，然后给你吃巧克力。聪明的小宝盆儿象征性地抿一口勺子，然后就咬一大口巧克力。在一旁的阿大看不下去了，插嘴说不能让他吃这么多巧克力呀！妈妈怏怏离开，阿大当起“恶人”。她给宝盆儿系上小围裙，用小勺子在菜碗里搅搅，然后放到嘴边吹吹，说一声：“来，吃香香喽。”真怪了，宝盆儿不再拒绝，津津有味地吃起来。还有神的，有时夜里宝盆儿哭起来，妈妈怎么哄也不管用。这时早已从床上起身的阿大敲门了，说一句：“宝贝，阿大来了。”孩子的哭声立马小了，阿大抱着他轻轻摇一会儿，他就像啥事也没发生过，又甜甜的睡着了。

阿大在家乡只上到小学，生有一儿一女。两个孩子跟着婆家过，她就来京城打工了。做保姆，除了对孩子一心一意，其他没有任何优势。宝盆儿会骑小三轮车了，他兴奋地一圈一圈骑着，阿大便用一条绳子拉着车后梁跟着跑，汗珠挂在她红扑扑的脸上。一次，从公园回家的路上，狂风大作，气温骤降。妈妈拿起雨伞去接他们的路上，看到阿大的外衣紧紧裹在宝盆儿的身上，自己不怕冷地护着宝盆儿往回赶呢。妈妈连说："谢谢阿大，谢谢阿大！"宝盆儿也跟着说："阿——大！阿——大！"

现代社会也够难为阿大的，宝盆儿的一大堆玩具，声光电，中英文，汽车真的能跑，飞机真的能飞。阿大有空就琢磨，还学会了上手机百度。她的勤奋，加上宝盆儿的聪明，很多"高精尖"一一攻下。胜利之时，阿大会教宝盆儿欢呼道："要分享哟！"宝盆儿也吐字不清地喊着："分享哟！"

宝盆儿一天天长大，开始咿呀学语了。除了清楚地会叫爸爸妈妈，"要分享哟！"是他学会的第一句话。在楼下和小朋友一起玩时，他常把自己的各种汽车、积木拿给小伙伴玩，说一句："要分享哟！"看到别的儿童的玩具好玩，他想玩也来一句"要分享哟！"阿大赶紧拦住他，告诉他："分享不是这个意思……"但"分享"到底是啥意思？阿大也没说清楚。

学说话的宝盆儿高兴起来还经常喊几声，可他说什么呢？爷爷奶奶你看我我看你，都没听懂。叫来盆儿妈，妈妈让宝盆儿再说一遍，也没听懂。这时，站在一旁的阿大不好意思地说："宝盆儿说的是我们安徽话。"

哈哈，这还真是个事儿了！孩子从小在安徽阿姨的怀抱里长大，他学说的当然是"母语"啊。于是，阿大努力学说普通话，宝盆儿跟着阿大学说半安徽半北京的话。家里人多的时候，姥姥姥爷故意跟着宝盆儿学说皖京混杂腔调的话，弄得大家哈哈大笑。

阿大很难为情，更加努力学习了，从汉语拼音开始。慢慢地，小宝盆儿会背唐诗了，正式背诵给爷爷奶奶听时，有点字正腔圆了："春眠不觉晓，处处闻啼鸟。夜来风雨声，花落知多少！"尽管读"夜来"俩字还有点"一来"，但已经很不错了。姥爷是个作家，教外孙读古诗时偶尔“塞”点自己的“私货”，比如“远山近水稻香湖，芦苇轻摇小舟出”之类的。阿大翻遍了《幼儿读古诗》，也没找到“远山近水”，便弱弱地建议姥爷：“还是让宝盆儿多读点经典好吧？”

姥爷心里虽有点郁闷，但还是很赞赏阿大育儿有一套的。她教宝盆儿背诗，常与时令结合起来，比如北京终于下大雪那天，宝盆儿学会了一首唐诗。不过，可能教得比较急，阿大忘记纠正自己的安徽口音了。宝盆儿背诵时先报唐朝诗人“李宗允”，全家愕然。待他接下去朗诵出“千山鸟飞绝，万径人踪灭。孤舟蓑笠翁，独钓寒江雪”时，大家都明白了：“李宗允”原来是柳宗元啊！

两岁多的小男孩儿能背《江雪》这首诗，赞一个呗！其实，阿大用的可算是“启发式”教学呢。宝盆儿从 1 数到 10，找到规律后很快就能数到 100 了。再比如，清明节那天学习“清明时节雨纷纷”，阿大提醒开头一个字，他便背出全句。当提到第三句“借”字时，小宝盆儿故意读成“借问酒家在哪里？”哈哈，显然，他已知道“何处有”是什么意思了。

有苗不愁长。转眼，小宝盆儿就要满三周岁了。妈妈有个好主意，这天带他去郊区，和同事的宝贝一起过生日。走在开满鲜花的乡村小路上，阿大把宝盆儿抱一会儿，背一会儿，还拉着他的小手跑一会儿。同事和家人来迎接了，问：“宝盆儿，这就是你的阿大吧？”

宝盆儿说：“她是我阿姨，我阿姨！”

“阿大”有点没想到，兴奋地说：“宝盆儿长大了哟，懂事了哟。”妈妈也是第一次听到，高兴地说，宝盆儿再叫一声。小宝盆儿大声叫着：“阿——姨！”

阿大，不，阿姨，她红扑扑的脸上竟闪动着泪花儿。

## 大海和他的理发屋

大海的理发屋就在我住的报社宿舍楼的一层，门脸不大，有着一个好听的名字：银露曼。但如果你到小区打听“银露曼”，大概没人知道；如果你问的时候加上句：“就是大海的理发店”，只要是小区的住户，十有八九会热情地指给你。

大海的学名叫徐海东，不过他这个和开国大将一样的名字，也没几个人知道，人们早已习惯地叫他大海了。年前的工作忙，我咬牙抽时间想整整自己的头发时，已是腊月二十八的傍晚时分了。推开两道玻璃门，一股暖意迎面而来，大海给我一个熟悉的微笑：“大哥，坐等片刻行不？”当然，我正好和他聊聊天。

大海的店眼下只有他和一个叫小惠的助手，他既是店长也是“大工”。我说跟你聊天不影响你干活吧？他说没事没事，坐在椅子上正理发的顾客也连说聊吧聊吧，一看就是老主顾了。

我和他一起先算清楚了，大海算上今年已经有八九年没回家过春节了。这些年他都是在忙碌中辞旧岁迎新年的。他说头年这几天小店就没断过客，今天早上 9 点，约好的客人就来了，除了中午吃了口饭，一直不得闲。

“你这么站着快一整天了啊！”

“可不，七八个钟头了。”

正聊着，进来一老哥，大嗓门：“唉哟，我都来了 N 次了，还这么多人排着啊！”大海算了算，说：“你 45 分钟后下来吧，我给你排上。不好意思啊！”大嗓门：“亏了我就住楼上，得，待会儿见。”

大海不说“对不起”，说“不好意思”，是这一两年的事。现在不说，你不会知道大海的老家在吉林省的公主岭，他已一口的普通话。他初中毕业后就去了长春，而后秦皇岛，而后青岛，再而后北京。“北京最好，我一干就不想走了，快十年了。”他告诉我，家里还有不算年迈的父母，两个哥哥、一个弟弟。他们都在家过节，我一个不回去，老家也习惯了。现在老婆、孩子都不知道公主岭在哪，他们哪都不想去了。

为了拉近我们的话题，我说我认识你们公主岭的一位名人。他兴趣来了。我说的是诗人王岱山，他的神话叙事诗《宝镜湖》，是粉碎“四人帮”后少有的几部影响全国的诗集，中央人民广播电台曾配乐广播过。大海马上跟上说，公主岭出名人哪，你知道最出名的是谁吗？我想了想，说李玉刚吧。大海说算一个，那最出名的哪？他坏笑起来：李宏志啊！哈哈，都没人搭理他了……

聊天归聊天，大海的手可没停过，他解下顾客的围裙，又一个活儿完了。他一边记账一边说："你骑车慢点，回去问你爸好。"这是个大学生，家搬到天坛那边后，父子俩一直还回来找大海理发。他能不忙吗？

有人探头，是一大姐。大海伸出 4 个手指头挥了挥，示意还有 4 个活排着呢。大姐点点头离去。

他开始下一个活儿——烫发，顺手递给我一张报纸，照例是当天的《参考消息》。理发小店的"大工"，不订晚报，也不看杂七杂八的小报，却常年订阅着新华社编辑出版的《参考消息》，几年前他就令我刮目相看。脑袋让他打理着，随便聊聊天，时间很快就过去了。远的如美伊战争、欧债危机、朝鲜核试验，近的如孩子入托、房贷利率、医患纠纷、北京打车难，他都有自己的看法。有人称他有文化，他笑答：都是报上说的。

大海是初中生，却在社会这所人间大学里刻苦努力着。他丰富自己知识的途径，一是从他常年订阅的《参考消息》上读来的，二就是电视机上看来的。小店挂在墙壁上的液晶彩电，平时也放电视剧，但到了《新闻联播》的时间，还有诸如《经济信息联播》《国际时讯》《法制进行时》，包括赵忠祥的《动物世界》等时段，他都把频道调过来，并且能做到边干活边吸收着"文化"。我给他"总结"的这两条，他默认了，但他认为更多的是从他的顾客身上学习、感悟到的。你看，这大海就是有水平吧！不用说我们这个小区，仅我住的这座楼里，就有国家体育总局、外交部和一家报社的几十位"人物"。大海常年为他们和他们的父母、家人、孩子服务，关系处得都不错。我记得我就在这撞上过一位国际体育组织的副主席，还有外交部的一位老司长。我还知道小区里的一位知名作家把自己新出版的作品集送给他，扉页上工工整整地写着："敬请大海（徐海东）先生阅存 某某某 于某年某月"。

终于轮到我理发了，我后边又排上 5 位了，而且有 3 位女士是大活，即焗油、烫发、做造型。我说这得干到什么时候啊？大海说晚上 11 点前都能做完。我问明天呢？他说明天我早来，9 点到 10 点已约了 4 个活了。明天是除夕啊！大海说哪年三十不是这样啊？

我满意地离开“银露曼”——大海的理发屋时，小区已是万家灯火，耳边已响起噼噼啪啪的鞭炮声了。我在寒风中伫立了好一会儿，望着他忙碌的身影和那招牌式的微笑，忽然想到他最看重的，也是他所做的一切辛勤付出的动力——他说，我有一个贤惠的媳妇儿，有一个 4 岁半的儿子，上幼儿园呢。徐仲雨这小子聪明、仁义，我和媳妇儿哪都不去了，苦点累点，都供着他，就指望他在北京好好读书，上小学、上中学，能上一所重点高中，考上大学！

徐仲雨这小子，你给我好好听着：你一定要给大海，不，是徐海东，也就是你的老爸争口气，把那一个个目标拿下啊！

王朝柱

历任总政歌剧团作曲，总政话剧团编剧，全军艺术指导委员会委员。相继出版《李大钊》《爱的旋律》《女囚徒》《蒋介石和他的密友与政敌》（三卷六部）《功臣与罪人》《谍海奸雄》《政坛败将》《王昆仑》《宋美龄与蒋介石》《毛泽东与周恩来与长征》《开国领袖毛泽东》等史传文学作品，电视剧剧本《巨人的握手》（已录制播出）获全国飞天奖二等奖。

# 追忆赵沨院长

2016年11月29日，是中国当代著名的教育家、音乐理论家、社会活动家、新中国专业音乐教育事业的开拓者——我最为敬重的中央音乐学院老院长赵沨诞辰一百周年，中央音乐学院举办了隆重的赵沨百年诞辰纪念学术活动。我这个不务正业的弟子怀着异样的情感、迈着沉重的脚步走进了我的母校中央音乐学院。

赵沨院长百年诞辰纪念学术活动有两项内容：一是赵沨译配歌曲以及著名弟子们演奏的音乐会，二是赵沨学术研讨会。出我所料的是，当钢琴大家刘诗昆同学演奏完《降A大调波兰舞曲》、小提琴大家盛中国同学演奏完维尼亚夫斯基作曲的《传奇》之后，琵琶大师刘德海同学右手怀抱琵琶，左手拿着一只宜兴小壶走到舞台中央，向着赵沨院长的遗像深深地鞠了一躬，接着说道：

“赵院长，我知道您爱喝名牌咖啡，可我没有，只有普洱茶一杯，我一边弹奏《听茶》，一边请您品茶，希望您在《听茶》、品茶中感到我们对您的感恩。”

刘德海坐在琴凳上，酝酿了一下情绪，遂动情地奏响了似能穿透时空的《听茶》乐声。全场师生屏息听乐，真是安静极了！很快，随着刘德海同学那紧扣心弦的《听茶》琵琶声，我渐渐地回到了遥远的过去，很是自然地想起了赵沨院长对我这个穷孩子的特殊栽培……

## 一

1958年初夏，一列驶向天津的慢车发出“咣当、咣当……”的响声，与客车里播放的《大跃进的歌声震山河》的气氛是那样不协调。我坐在热得赛蒸笼的座位上，左手抱着半袋俺娘亲手蒸的白面馒头，右手拿着两支装在俺娘亲自缝制的布套中的竹笛，心无旁骛地幻想着投考中央音乐学院附中的各种可能发生的情况。

那时的中央音乐学院在天津河东区大王庄，附中设在离院部不远的一座院子里。我因为在天津举目无亲，被负责接待的师生安排在一间琴房里，临时给我搬来一张破旧的木床。我操着浓重的吴桥话说了一句“谢谢！”他们相视一笑，什么话没说就走了。我看着他们的表情感到是那样的不舒服，遂暗自说：“不要以貌取人，咱们走着瞧！”接着，我去院子中找来一块青砖当枕头，把俺娘亲手蒸的那半袋馒头放在砖头旁边，从布套中取出一支昆笛，示威性地吹响了难度很高的南派风格赵松庭的《早晨》。

七月初的天气是很热的！白天，渴了就对着水龙头喝几口自来水，饿了就啃一个俺娘蒸的白面馒头；晚上，我穿着那身农民装束的衣服倒在没铺没盖的木板床上，枕着那块青砖，就像在老家那样任凭蚊子叮咬，我自岿然不动，很快进入梦乡继续做着考试的美梦。

就要进考场考试了，我学着家乡比武、打擂台的样子暗自说："一定要吃饱，吃饱了，参加考试心才不会慌。"可是，当我从布袋中取出馒头一看：白白的馒头皮上长出一层绿毛，我知道这是天热造成的。没办法，我只好把眉头一皱，一边揭去长毛的馒头皮，一边吃着变了味的馒头。

这时，考生陆续走进了附中的大院，嘈杂之声越来越响。

为了不影响自己考前的情绪，我连头都不抬一下，继续低着头啃着长毛的馒头。突然，我住的琴房门口安静下来，正要自问"发生了什么情况"，就听见一位操着上海口音的女声十分可亲地说道："考生同学！赵院长来看你了。"

我一听赵院长来看我了，惊得我慌忙抬起了头，只见一位身材微胖、戴着一副又大又圆的镜片的眼镜、叼着一个从未见过的大烟斗的中年人很有艺术风度地向我走来。我急忙站起，手拿着半个长毛的馒头说道："您、您就是中央音乐学院的赵沨院长？"

"对！你准备考什么专业？"

"我准备考作曲理论和民乐笛子两个专业。"

赵沨院长听后笑了，说道："有意思，一个农村的孩子竟然报考两个专业。你会吹笛子我信，可你凭什么要考作曲理论专业呢？"

我听后急忙从上衣口袋里掏出一张地方小报："这是我在报纸上公开发表的歌曲，您看？"

赵沨院长接过我手中的小报看了看我写的歌曲，信口说道："有点意思。"接着他又问道，"你的笛子吹得怎样？"

我赶忙答说："南派风格的会吹赵松庭的《早晨》，北派风格的会吹冯子存的《喜相逢》，还有山西风格的刘管乐的《和平鸽》……"

赵沨笑着摆了摆手，说道：“不要说了！我不是考你的老师。结果如何，由考你的主考老师说了算。”他说罢于无意中看见了我手中那半个长毛的馒头，随手拿过去看了看，严肃地说道：“你为什么要吃长毛的馒头？知道吗？吃了是要生病的，赶快把它扔了！”

我听后猝然之间来了气，噘着嘴说道：“我把它扔了吃什么？”

“去街上买烧饼吃啊！”

“我没钱！再说啊，有钱，俺娘就不给俺蒸这些馒头了。”

赵沨院长听后沉默了，当他听我讲完自己讨饭的童年以后，当即取出钢笔，在一张纸上写下：“请给这位考生十元钱、十斤全国粮票。赵沨。”接着，他又关切地对我说：

“你拿着这张条子去院部总务处，他们会给你全国粮票和钱的。一句话，长毛的馒头不能再吃，要扔掉。”

就这样，我用赵沨院长特批给我的全国粮票和钱，如愿考取了中央音乐学院附中理论作曲和民乐笛子两个专业。当主考老师问我入校后选择哪一个专业学习，我毫不犹豫地答说作曲理论。当主考老师问我为什么，我说了这句至今还记得的话：

“我想当中国的贝多芬！”

说来也巧，中央音乐学院于暑假搬到了北京，本科和附中在一起。因此，我真正在音乐学院读书是从北京开始的。

中央音乐学院被称为“贵族学院”。我的学长郑伯农在回忆当年我在音乐学院读书的情形时曾写过这样一段话：“音乐学院是个颇带洋气的单位，这里的教师有不少是欧美留学生，音乐教材多是西欧和俄罗斯的古典音乐。柱子在这个单位里显得有点‘另类’。他来自河北农村，是个土气十足的穷学生。冬天穿着一身黑棉服，裤子的裆特别大，一张嘴就是口音浓重的河北土话，活脱脱像个燕赵小‘老农’。”可以想见，像我这样的穷学生在“贵族学院”是没有多少地位的，同学们取笑似的学我说话，偶尔拿我“开涮”也是家常便饭。就说个别洋范十足的老师吧，也曾公开地说我是“赶大车的”等等，不一而足。自然，我也有一些不入流的生活习惯让同学们产生反感，或曰难以忍受，竟然告到附中女校长俞慧耕老师那里，出我所料的是还惊动了赵沨院长。事情的缘起是这样的：

我从小在土坑上睡大的，从来都是赤条条地倒在坑上就睡着了，不知短裤为何物。再者，我自幼喜爱读书，苦于农村无书可读。因此，一见音乐学院图书馆里有那么多书，我就借回宿舍里，光着身子躲在被窝里打开小手电筒读书不止。不知是哪位同一宿舍的学友向俞校长告了我的状，一场传遍全校的笑话发生了……

俞慧耕毕业于上海圣约翰大学。她长得非常漂亮，我记得那时她烫着发，擦着淡淡的红色唇膏，和我说话总是微微地笑着，从未见她发过脾气。一天晚上，熄灯的铃声响了，我照旧爬上木床的上铺，脱去衣服，一丝不挂地钻进被窝，打开手电筒看书。正当我兴致勃勃地看书之际，突然听到“啪”的一声，宿舍的电灯被人打开了，我还没弄清是怎么一回事，俞校长走到我的床前，撩开我的被子，对着我光着的屁股“啪、啪、啪”打了三下，我来不及弄清这是为什么，只是本能地缩着身子用手捂着下身遮丑。这时，俞校长生气地责问：

“王朝柱！你睡觉为什么不穿短裤？”

“对不起俞校长，我从小就没穿过短裤。”我赶忙一边捂着下身一边答说。

“为什么你母亲不给你做短裤穿？”“好像我的父母也没穿过短裤。”“明天，你必须去街上买两条短裤换着穿，不准光着屁股睡觉，你听明白了吗？”

“我听明白了，可是我没有买短裤的钱。”

俞慧耕校长哑然了。有顷，她声调很低地说罢：“熄灯后不准看书，这是校规”，遂转身有些沉重地走出了宿舍。可同宿舍的同学却发出了开心的笑声。

第二天，我在院长办公室的大门口见到了赵沨院长，他看着我有些难为情的样子说道：

“你们的俞校长向我报告了你的情况，不要不好意思，我已经特批了给你买短裤的钱。”

“谢谢赵院长。”我近似哽咽地说道。

“不要谢，说不定啊，你穿上短裤还不习惯呢，甚至连觉都睡不着！”

这件事对我的影响很大，一直想不通一个一院之长，为什么对我这样一个穷学生如此关心。事后，俞校长告诉我：赵沨院长辞谢文化部艺术局局长，来音乐学院任职之后就提出招收工农子弟学音乐的主张，尽管当时有着不小的阻力，但他坚持在附中办工农子弟班。就这样，我才能如愿考取附中作曲理论学科，接着又升入本科，念了五年作曲系。

音乐，是听觉的艺术。虽然说音乐的语言是无国界的，但是一个听惯了传统民族音乐的文艺工作者，你再是音乐天才，也听不懂贝多芬、柴可夫斯基等外国音乐大师的交响乐。对此，我是有深刻体会的。

我早年在家乡曾经看过《贝多芬传》。从这部传记的作者——法国文学巨匠罗曼·罗兰的笔下深深地感到了贝多芬的音乐是何等的崇高和伟大。那时，在我少年的心中还十分天真地坚信：只要能听到贝多芬的交响乐就一定会着迷的。为此，我正式考入中央音乐学院附中之后就订了一个学习贝多芬音乐的计划：每天除去正规地上入门的音乐课程之外，我还雷打不动地坚持听一个小时贝多芬的音乐，且按照循序渐进的原则先从小奏鸣曲听起，一直听完贝多芬的九部交响乐。结果一年下来，我还是没有听懂贝多芬的音乐。与此同时，当我再看到准备参加国际钢琴比赛的殷承宗、鲍惠乔等同学摇头晃脑地演奏贝多芬、柴可夫斯基等大作曲家的钢琴协奏曲以后，我真的对自己想当中国贝多芬式的作曲家的理想幻灭了。我历经痛苦的思索和抉择，遂怀着忐忑不安的心情叩开了赵沨院长的办公室，一见面就有些惨然地直言相告：“赵院长！我打算休学回家种地。”“为什么？”赵沨院长有些惊诧地看着我问道。

我把一年来学习的经历细说了一遍，遂又不堪回首且又是万分痛苦地说道：

“我连贝多芬的音乐都听不懂，何谈当中国的贝多芬式的作曲家呢！用我们老家的话说：麻袋片做龙袍，我不是学音乐的料，还是回家种地的好。”

赵沨院长听后十分平静地告诉我："这是十分正常的。不要灰心，听我的话，你再继续听一年到两年贝多芬、莫扎特的音乐之后，如果还是听不懂，我就批准你休学。”

暑假到了，我回到故乡看着那熟悉的青纱帐长长地舒了口气，感到心情是那样的愉悦。但是当我想到在未来一年到两年继续听贝多芬、莫扎特等音乐大师的无标题音乐后，内心又泛起一层似乎拨不开的愁云迷雾。

第二学年开学之后，恰逢是开国十年大庆，全国人民非常关注的十大建筑如期完成了，的确给古老的北京增添了新鲜的光彩。一天傍晚，我和几个约好的同学信步走到十大建筑之一的民族文化宫，看到剧场的门前挂着一块巨大的演出广告标牌，大意是为庆祝新中国成立十周年，苏联芭蕾舞皇后乌兰诺娃来华告别演出柴可夫斯基作曲的《吉赛尔》，地点：新落成的民族文化宫剧场。这些结伴同行的所谓天之骄子们一见来了情绪，并借题发挥，谈完了芭蕾舞皇后乌兰诺娃在舞蹈界不可撼动的至尊地位，又大谈柴可夫斯基为舞剧《吉赛尔》写的音乐有何等的伟大。最后，当他们再回到现实之后，一个个又喟叹不已地说道："咳！要是有张舞剧《吉赛尔》的票该有多好啊。”对此，我是一言不发，因为我清楚地知道像这样高级别的观摩票我是没有份的。

翌日下午傍晚，我正准备去食堂吃饭，只见赵沨院长迎面走来，拿着一张票对我说："朝柱，你想不想看乌兰诺娃的告别演出啊？”

"想啊！是她跳的《吉赛尔》吗？”

赵沨院长微笑着点了点头，说道"是！”遂又指着自己手中的票说道："这是文化部有关的演出单位送给我的观摩票，你拿去看吧！”

我急忙摆着手说道："不，不！还是赵院长您去看吧。”

赵沨院长知道我矛盾的心理，遂告诉我他还可以向演出单位要票，保证能看到乌兰诺娃的告别演出。

我双手接过赵沨院长手中的票，下意识地向他深深地鞠了一个九十度的大躬，转身近似小跑似的快步走去。或许是太激动了，我是如何连走带跑赶到民族文化宫剧场大门前的，真的是一点印象都记不起来了，到剧场门口检票员伸手拦住我，接过我的票看了看，遂又表情严厉地上下打量我的穿着以后，我才回到现实，并生气地说道：

“看什么！我的票是假的吗？”

“票是真的，可我怀疑像你这样的人怎么会有首长席上的票呢！”检票员阴阳怪气地说道。

“这是你应该管的事嘛！”我一把夺过戏票，把头一昂，挺着胸脯走进了剧场大门。

赵沨院长曾出任新中国成立初期文化部办公厅主任、艺术局局长，送给他的观摩票自然是首长的席位。那天，我坐在六排一号，在我的左右前后的观众多是西服革履的官员和艺术家，像我这样一个尚不满十八岁——且又身穿农民衣着的小青年坐在正中央的座席上的确是扎眼了点。对此，我是习惯了，有意把腰板一挺就等着大幕一开，听着音乐大师柴可夫斯基的音乐，观看芭蕾舞皇后乌兰诺娃跳《吉赛尔》了。

演出前的铃声响了，紫红色的大幕徐徐打开，随着柴可夫斯基的舞剧《吉赛尔》的序曲结束之后，乌兰诺娃等男女演员相继上场，用芭蕾舞蹈那特有的舞蹈语言演绎着舞剧《吉赛尔》的情节。我从未看过芭蕾舞的演出，更不知道乌兰诺娃是用脚尖跳舞。他们一会儿跳独舞，一会儿跳双人舞，一会儿又是满台的男女演员跳起了集体舞，这和我在家乡看的戏曲演出怎么也联系不起来。令我更是不堪入目的是乌兰诺娃等女演员的舞蹈服装——在当时的我看来几乎是没穿衣服。我强忍着看了十多分钟，实在是看不下去了，遂悄然站起，擦着黑离开了座位，接着又沿着剧场的人行廊道大步踉跄地走出了民族文化宫剧场。

翌日中午，我应约赶到院长办公室，赵沨院长请我落座之后就十分严肃地问我，看了芭蕾舞皇后乌兰诺娃的告别演出有何感想啊？我如实地说出了自己的观感。令我震愕的是，赵沨院长猝然变色，非常严肃地说道：

“朝柱，你说的和我想象的差不多。”

“那您为什么还要我去看她的演出呢？”

“我想借此认真地批评你一次。”

接着，赵沨院长指出：你听不懂贝多芬的音乐，看不惯乌兰诺娃跳的芭蕾舞，这说明你的艺术思维仍然停留在传统的看社火、跳大秧歌的水平。党把你从农村招到全国最高的音乐学府，是想让你把全世界最高水平的音乐、舞蹈、歌剧等学到手，然后再创作我们自己国家的不同门类的艺术作品。这时，他点燃烟斗深深地吸了两口，又问道：

“你应该知道冼星海创作的《黄河大合唱》吧？”

“知道。当年我在农村还曾组织同学们演出，是我亲自指挥他们唱《黄河大合唱》的。”

“很好！你知道吗？大合唱在外国叫‘康塔塔’，是冼星海成功地把它移植到中国来的。这部《黄河大合唱》唱出了中华民族不屈的灵魂，鼓舞着一代又一代人走上战场，打败了日本鬼子，迎来了我们的新中国。”

说句自我吹牛的话，我从小就很有些灵性，属于那种一点就通的孩子。因此，未等赵沨院长把话说完，我就抢先坚定地说道：

“赵院长，您不用说了，我全都懂了！今后，我会向冼星海那样向一切外国的优秀艺术学习，努力地创建中国的艺术学派。”

从此，我就全身心地投入到艺海中学习游泳，未经两年，我不仅听懂了贝多芬、莫扎特，而且还把艺术的触角深入到印象派大师德彪西、拉威乐的音乐中去了，待到我升入本科作曲系在二年级学习的时候，竟然写出了无调性的钢琴小奏鸣曲，受到了一些老师的批评。就说看芭蕾舞吧，我不仅看懂了她那独有的艺术之美，而且在赵沨院长兼任中央芭蕾舞剧院院长的时候，在他领导创作芭蕾舞《红色娘子军》的过程中，我还从旁说过一些见解。为了弥补自己艺术上的无知和过失，苏联解体不久我就到了莫斯科，请友人带我到乌兰诺娃的墓前，我亲自献上一束向大师补过的鲜花，并在墓碑前恭恭敬敬地默哀一分钟。

## 三

“文化大革命”爆发以后，我正躺在邮电医院的病床上等着做盲肠炎切除手术，同班的同学来看我，带来了一个做梦也想不到的消息：在院长办公室的东墙上贴了我一张很长的大字报，名字叫“打倒赵氏王朝一根柱！”我一听怒火中烧，遂提前出院，立即投入到用大字报方式的论战中去了。

半个世纪过去了，想想我和赵沨院长的关系，同学们贴“打倒赵氏王朝一根柱”这样的大字报不是很正常吗？可是那时我年轻气盛，一听就火冒三丈，心里想：“钢琴没有你们弹得好，但是我写反击你们的大字报一定比你们写得好。”事后想来，我在“文革”初期一定伤害了不少出身不好的师生，愿借此向远在音乐天国的老师们致歉！

好在，我保赵沨院长的时间不长，很快就被可爱的同学们打成了铁杆保皇派。对此，我的学长郑伯农写下了如下这段文字：“‘文化大革命’的风暴到来后，柱子并没有走进造反派的潮流。他是学校保守派的中坚人物。保守组织被冲垮后，他也没有弃旧图新、改换门庭，起码对运动持观望的态度。这在今天看来，是难能可贵的，可是在当年，却被视为‘顽固不化’。为此，他在运动中吃了不少苦头，被审查、被批判……”就是知道了毛泽东“亲自发动了‘史无前例’的‘革命’，王朝柱也没有跟着走，他经过认真的独立思考，站到‘文革’的潮流之外去。”后来，“我曾听说，他在天津葛沽的日子很难过，受到批斗。”在这期间，我见赵沨院长的机会不多，像过去那样当面聆听他的教诲就更没有。或许是老天开恩吧，我在天津葛沽劳动改造的第三个年头，管我们的解放军同志希望我去保定三十八军外调赵沨，了解有关音乐学院教学的一些情况。我欣然同意，第二天就轻车简从，一个人赶赴三十八军的学生连。

我住在三十八军一个师的招待所里，坐在一个原木制的桌前，有些不安地等待赵沨院长的到来。有顷，门外传来“报告”声，我学着军队首长的口气答说“请进来！”只见一个警卫员引消瘦许多的赵沨院长走进来，警卫员刚刚走出大门，我就禁不住地叫了一声“赵院长！”几乎是扑上前去，紧紧地拥抱了赵沨院长。出我所料的是，赵沨院长却十分理智地推开我，连声说着“不好！不好……”

“有什么不好的！”我把赵沨院长搀扶到一张木椅子上坐下，仔细地打量我熟悉的赵沨院长。

赵沨院长看了看我的样子，冷静地问道：“朝柱，你来找我是外调吧？”

“不！准确地说，很久不见了，想来看看您。当然喽，我必须打着合法的理由——那就是外调，才能达到看您的目的。”我说罢引得赵沨院长也忍不住地笑了。

在我们的交谈中，大部分的时间用在了解两边师生的情况上，自然也问了赵沨院长的生活和健康状况。那天他很开心，还一块在招待所里吃了顿客饭。最后，他问我：

“朝柱，我听说你在辩论‘老子英雄儿好汉，老子反动儿混蛋’的时候，人家问你是什么出身？你答说‘我从周口店就是贫农’！有这事吗？”

“有！那时，我纯粹是拿中学生们寻开心。当然，也是为了给我反对这副对联增加一些砝码。”

赵沨院长听后开怀大笑。接着，他又认真地说道：

“你是我们学校唯一一个讨过饭的孩子，现在林彪集团被粉碎了，我估计你会很快调回北京的。”

赵沨院长的判断是正确的，转年我就调回总政文工团工作。接着，我又到总政干校劳动，很长一段时间没有见到赵沨院长。再后来，我因为各种原因由作曲改行搞文学戏剧创作了。一是隔行如隔山，再是我有着一种无脸见江东父老的心理，很少回中央音乐学院，更不愿意见到赵沨院长。我记得在北师大举行大学生电影节的时候，组委会主席黄会林大姐向我发出邀请，并代表生病的老领导丁峤出席，讲几句祝贺的话。我准时走进贵宾休息室，令我感到意外的是，我所熟悉的赵沨院长叼着大烟斗坐在首长席上。我急忙走上前去，行了一个标准的军礼，十分愧疚地说：

“赵院长，我是王朝柱，您还认识我吗？”

“你就是烧成灰我也认识！”赵沨院长说罢用手杖指了指旁边的沙发，“坐在这里，告诉我，你为什么不来学校，也不到我家来看看我？”

我扼要地讲了自己的理由，并希望赵沨院长见谅。但他仍然不依不饶地说：

“你没写出交响乐，却写出了那么多的文学、戏剧作品，不也是很好吗？再说，我看了你写的电视剧《开国领袖毛泽东》，我就很喜欢。”

“请赵院长放心，我相信明年七月一日播出的长篇电视剧《长征》，将会更好，到时请老院长批评。”

这时，铃声响了，赵沨院长站起身来，把他手中的黑皮包递给我，几乎是命令地说：

“搀着我，进剧场开会去。”

“是！我终于给您当了一把秘书。”我搀扶着赵沨院长走进了剧场，一起出席大学生电影节开幕式。

翌年七月一日，我写的电视连续剧《长征》准时在中央电视台一套播出了，取得了很大的成功。原本想等着《长征》的光盘出版以后，多带几套去看赵沨院长。没想到我所敬爱的赵沨院长于九月一日驾鹤西去，永远地离开了他所热爱的祖国和人民。为了寄托我的哀思，也为了让后人永远地记住这位音乐战线上的一代宗师，我在写长篇电视剧《周恩来在重庆》的时候，把他和光未然、李凌、李元庆等大艺术家写进剧中，在重庆庆祝《百团大战》胜利的时候，由年轻时代的赵沨亲自指挥演出冼星海的《黄河大合唱》。我记得再见到师母——吴锡麟教授的时候，她激动地拥抱着我，连声说着“谢谢！谢谢……”

随着琵琶大师刘德海同学演奏的献给赵沨院长的《听茶》的

结束，我对赵沨院长的追忆也就定格在心灵的屏幕上。是日下午，赵沨院长百年诞辰纪念学术研讨会开始了！当大会司仪宣布我第一位发言后，我快步走上主席台，向着我敬重的赵沨院长的遗像深鞠一躬，遂简要地讲了赵沨院长作为当代音乐界的一位代表人物，在音乐教育、音乐理论和音乐活动等战线上所作出的特殊贡献……

王宗仁

王宗仁，著名作家。原解放军总后政治部创作室主任。中国散文学会名誉会长。1954年开始发表作品。著有作品集五十多部。多部作品获得国家和全军奖。《藏地兵书》获第五届鲁迅文学奖。

# 母亲的石榴树

我出生在八百里秦川北塬上的长命寺村，只有36户人家的一个小村庄。长命寺有历史记载，嘉庆志载：“长命寺在县东三十里，唐时建，相传石上有彭祖足迹。彭祖，史有其人，他是陆终氏的第三子、帝尧时的大臣，经历舜、夏时代，殷封于大彭。所以是传说中的长命寺星。民间有‘彭祖活了八百岁，不及老佛一觉睡’之说”。原寺规模很大，曾发展为东、西、王三寺。村即以寺而名。我曾在长命小学读书，至今仍然清晰地记得学校门楼匾额上，“彭祖古迹”四个字赫然在目，现已毁之。

我说长命寺史话，因为它与母亲的石榴树有关。

有一天，母亲兴致勃勃地从长命寺带着一簇正待发芽的石榴树枝回到家里。这树枝是住寺的道人普师赠送，那棵百年石榴树是他培育的结长命果的树。普师小院内那棵石榴树叶茂果繁，多少人享受过这正果。母亲跟随普师信佛行善众人皆知。石榴树在我家院里向阳的墙角下落根后，母亲为它筑起篱笆墙，浇水，施肥，从不慢怠。每逢初一、十五，还要点香叩头，在她眼里石榴树就是佛。

记得是 1965 年初夏，我从青藏高原调往京城工作，路过秦川顺便回乡探亲，正逢石榴树第一次挂果。奇怪的是，树上只有孤零零一颗果子。村里人说，母亲听说我要从藏地回家，特地留下一颗果子。其余的满树石榴都被母亲分送给各家各户了。我手捧着成熟得饱满的红红的石榴，心里奔腾着激动，幸福！

母亲留给我的这颗石榴，我带到北京后一直舍不得吃，精心地保存在一个盒子里。说句心里话，从得到石榴的那刻起，我就没有打算吃掉它。我只是想着留它在身边，就是母亲的影子伴随着我。至于它能伴随我多久，最终怎么处理，我也说不清楚。当年金秋，我重返高原，也把它带在身边。心里的谱儿是，母亲随儿子走一趟青藏公路，好让她看看儿子舍不下的高原是什么样儿。儿子的身体，母亲的精灵，相得益彰闯青藏，别有一番情趣。人的想法会在千变万化的客观事实面前作调整。那天，我到了唐古拉山兵站，在和站长吕传銮交谈中得知，在这个海拔 5300 多米的冰雪世界里，官兵们一年中难得见片绿色，也听不见一声鸟叫。他们的眼睛发涩，耳膜增厚。有些兵实在熬不过这难耐的荒凉和寂寞，到了夏天便请假到昆仑山下的格尔木城去看树，他们抱着树呼唤远方故乡的娘痛哭一场。我听了吕站长的讲述，心里疼了好久，我理解这些兵的无奈。于是我便给吕站长讲了我随身带着的这颗石榴的故事，断然决定将石榴留在唐古拉山兵站，让雪山上的官兵们闻闻八百里秦川长命寺的果味香，也算是替母亲献了一份爱心。当然，我非常清楚，唐古拉山的风雪依旧咆哮着，世界屋脊上的严寒依旧笼罩着兵站的小屋。但是，毕竟有一位远方的母亲伸出温暖的手，抚摸着高原战士衣褶里的六月雪。

后来，那颗石榴的结局会如何，吕站长没有告诉我，我也没有打问。不必去问。

我家院子里母亲栽培的那棵石榴树，长得越来越旺盛。只是已经不是一棵树了，而是两棵。那是从第一棵树的根部生发出来的一枝新芽，没有三年就出脱了差不多与母树一般高的个头了。母子石榴树。每年石榴挂果的季节，满树的石榴从枝叶间露出肥胖的身体，散发着淡淡的幽香。村子里一些淘气的顽童总会偷偷溜进院里摘石榴。母亲便搬来一把座椅，坐在树下一边干着针线活，一边防着孩子们糟蹋还没有完全成熟的果子。等到石榴熟透了，她便摘下装在篮子里，挨家齐户送给大家尝鲜。当然，还有一件事她是不会忘记，就是要留几颗石榴等着我探家的日子……

# 跨界

KUA JIE

溥　仕：忆父亲载涛

徐　进：平生风义兼师友

## 溥　仕

爱新觉罗·溥仕，又名金从政，中学老师。所著回忆录《平淡天真：我的父亲爱新觉罗·载涛——金从政口述家族史访谈》即将出版。

# 忆父亲载涛

爱新觉罗·载涛(1887—1970年)，作为其幼子，我在先父膝下生活30年，耳闻目睹故人旧事至今不敢忘却。

醇亲王奕譞有七子，前四子为嫡福晋、西太后胞妹叶赫那拉氏（蓉儿）所生。无奈三夭一存，而仅存的次子载湉四岁时被接入皇宫立为嗣皇帝（即光绪帝），后三子为侧福晋刘佳氏（翠妍）所生，他们是载沣、载洵、载涛。因奕譞为道光帝皇七子，载涛为奕譞的第七子，故醇王府中人们称这爷俩为老七爷、小七爷。

1900年光绪帝30岁寿辰，他的三位亲弟弟载沣（时年17

岁）、载洵（时年 15 岁）、载涛（时年 13 岁）经神武门进宫祝寿。宫中寿辰喜庆气氛点滴全无，面无表情的光绪帝接受他们的三跪九叩礼后欲哭无声，伏案落泪，双眼久久地望着三兄弟。载沣代表两位弟弟断断续续说了两句安慰的话语："……请皇上保重龙体……来日方长……"自此，三兄弟产生了杀袁世凯以报其出卖皇兄，致使维新变法失败之仇的念头。

载涛三岁丧父，在醇王府内，载涛过了六年多的快乐日子。1897 年（光绪二十三年）4 月突然接到懿旨，将载涛过继给贝勒衔固山贝子奕谟（嘉庆帝皇五子和硕惠端亲王绵愉之后）为后。奕谟老夫妇老来得子，虽然是过继儿子，那也是喜从天降，对载涛疼爱有加——知其练武术，便买来十八般兵器；见其喜骑射，就特地找来矮种名马任其驰骋。此时载涛虽然已是十岁少年，每当进餐时必令其坐于贝子夫妇中间，老两口轮番为其布菜、剔骨，甚至戴着老花镜择鱼刺……

光绪二十八年（1902 年）五月，贝子府突然接到西太后懿旨，命载涛离开已经形影不离五年的继父奕谟，转而过继给多罗钟瑞郡王奕詥（道光帝皇八子，奕譞同母弟）为后，降袭贝勒。这一晴天霹雳使得跪接懿旨的奕谟很长时间站不起来，最后由已不再是继子的涛贝勒搀扶，爷俩抱头痛哭不止。老年失子之痛让贝子老两口抑郁致疾，未几双双饮恨离世。

虽然载涛奉旨过继给奕詥为后，但实际上奕詥早在同治七年（1868 年）已经故去。15 岁的涛贝勒在钟郡王府开始了独立生活。多亏身边有位忠诚的老管家祥恒不辱先王"托孤"使命，在接人待物诸多方面不断指点帮助少年贝勒，使其逐步成长起来。

光绪三十四年（1908 年）西太后在 74 岁病危之际突然下诏宣"载沣之子溥仪，著人承大统为嗣皇帝"。此时载沣已经承袭醇亲王，三岁的溥仪是刘佳氏亲手抚育最疼爱的王府长孙。听到长孙要被立即接入宫中时，她登时昏厥过去，不省人事。她数次受到西太后的突然袭击，无端地失去二子一孙，使得她在心理与精神方面经常处于不正常状态，促使她过早地去世，享年 59 岁。

想想自己十余年的人生经历，涛贝勒特别同情母亲一生的坎坷命运。母亲去世后，载涛无时不在思念着她。直到晚年，经常在睡觉中哭出声来，问其故，答说“梦见娘了”。

同年，西太后自感病重不起，先授载沣为摄政王，又令其为监国辅佐幼帝溥仪，同时指示所有军国政事均由摄政王裁定，遇有重大事件又必须面请自己的侄女隆裕皇太后。载沣首先想到的就是除掉袁世凯，重整朝纲，实现皇兄维新图强的理想。载沣做出几项重大决定并付诸实施。他效仿德国皇室子弟参军并掌握军权的做法，命载洵为海军大臣，购买军舰，训练海军；命载涛为训练禁卫军大臣，并被派往法国留学，在索米骑兵学校专习战术战法、驯养军马和改良马种等知识，后又被任命为军咨大臣。

涛贝勒负责组建的禁卫军是一支装备精良、由摄政王亲自统率的军队。所以，有关军中之事摄政王一定会事必躬亲，亲自下到八旗营房挑选士兵。为了一试体力，有时还与应试官兵摔上一跤。挑选骑兵时专门录用马背上长大的蒙古族战士；其他如军服设计、练兵计划、颁勋制度等都亲自督导过问。新军建成，载沣在黄寺检阅并授旗。此时距武昌起义已不足一个月了。辛亥革命后，该军归属中华民国陆军部编制，成为民国武装力量的组成部分。

清朝灭亡后，载涛赋闲在家，以“平淡天真”为座右铭，多次婉拒当权者请其“出山”之邀。

1944年前后，一队日本兵突然来到贝勒府，载涛把一个军官模样的日本人让进大书房。没过多久，这群日本人悻悻离去。事后涛贝勒告诉家人，关东军伪满洲国要他去东北当什么“满蒙骑兵总司令”，以助溥仪侄一臂之力。

几乎在同一时间，伪华北政务委员会委员长、大汉奸王揖唐来贝勒府。因他与载涛是旧交，言辞之间没什么客套。王请涛贝勒出任北平市长，结果碰了“软钉子”。

他曾嘱托后人，我们中国是个多民族国家，政权更迭改变不了中华民族的属性，不管到什么时候都别忘记自己是中国人，别当汉奸。

抗战胜利后，载涛收到请柬，由抗日将领孙连仲作陪，蒋介石单独在萃华楼设宴款待慰问这位伪满洲国皇帝的叔叔，称赞他的民族气节，不与敌为友，独善其身。

1949年初，北平和平解放。解放军与傅作义部队接换城防时，贝勒府内进驻了一班解放军。先父第一次见到新型的人民军队，官兵平等，态度和蔼，搞卫生、不扰民，与房东拉家常……清末统率过禁卫军的先父对这支部队产生了好感。

人民政权建立后，首任街道派出所所长登门拜访。他告诉先父："你虽然是皇族，却不是顽固守旧的遗老。从辛亥革命到国民党政权垮台，在政治上你做到了一尘不染，很不容易。在群众中有威望，现在请你出来参加街道工作。"

从此，在协助民警查户口、与邻居搞卫生、支援抗美援朝活动中都会出现先父的身影。其中令先父津津乐道的一件小事是，人们不再称呼他为"七爷""贝勒爷"，而改称"老载"。他觉得很新鲜，好像这个新称谓缩短了自己和人们的距离。

1950年春，先父挚友、民革中央主席李济深来访，二人深谈良久。后来得知，他已向周恩来总理介绍了先父情况，鼓励先父要为新中国作出贡献。不久，先父应邀列席了全国政协首届二次会议。会上周总理的一席话令他激动不已："一届一次会议没请您参加，怪我有大汉族主义。要不是李济深提醒，我把您这位满族人民的代表给忘记了。"总理不但表示了诚挚的歉意，还送给他一本政协一届一次会议的纪念册，进而请他发挥自己的才干，向大会写提案。

同年夏天，先父提出的《改良军马以利军用》的议案就经毛主席、朱总司令批准，并交炮兵司令部落实。先父捧着毛主席签署的委任状高兴地说："我演猴戏，孙悟空只当上了天庭上的弼马温。这回毛主席让我当上了炮司马政局顾问，那我就得当好人民的'弼马温'。"

1950年冬，中央军委为了满足抗美援朝志愿军的需要，朱总司令直接下达命令，让先父和他的战友们选购两万五千匹军马转运朝鲜。先父不辱使命，圆满地完成了任务。紧接着，先父又赴东北、西北各军马场，视察调研并开展改良马种的工作。

年过六旬的“载顾问”奔波在甘肃、宁夏、青海，不畏严寒风沙，不辞辛苦劳累，甚至身上长了虱子，棉被缝里残留着耗子屎，仍然干劲十足地工作着。马政局干部郑新潮曾问他：“过去您老没吃过这苦吧，您哪儿来的这劲头，一点都不比年轻战士差。”

他爽朗地笑笑拍拍腰间的手枪说：“当兵的不能怕吃苦，我现在为新中国服务，为人民军队服务。周总理礼贤下士，朱老总把全军的军马担子交给我，我心甘情愿吃苦。当年土肥原拿手枪逼着我去伪满当骑兵总司令被我拒绝，那是我不甘心忍受外侮，宁死也不做民族的败类。我这劲头就是这么来的。”

先父西北之行有两件事值得一提。一是在塔尔寺会见了第十世班禅额尔德尼·确吉坚赞。此次皇族后裔以人民解放军干部身份来青海工作，十世班禅很感兴趣，特约相见畅谈并互赠哈达。二是在宁夏工作期间见到了久别的女儿、女婿和一群可爱的小外孙，尽享天伦之乐。他的女婿达理札雅，蒙古族，是阿拉善旗亲王。在解放战争中，他深明大义，率领全旗和平起义，后任内蒙古自治区政府副主席。女儿金允诚（满名爱新觉罗·韫慧）承袭满蒙通婚传统，在草原上数十年夫妻相敬如宾，并在文教卫生妇幼方面做出很大贡献，后任宁夏妇联副主任。先父看到亲人的巨变，深感欣慰。

1954 年，先父参加了北京市人民代表大会会议，并在会上被选为全国人民代表大会代表。会议期间，彭真市长、刘仁书记与他亲切交谈。刘仁知道先父是老北京，在不经意间问道：“您久居北京，跟您打听个人，不知道认不认识。”“他叫什么？”“金溥安。”

这一问一答道出了一个秘密。刘仁告诉先父，这个金溥安在敌伪时期任西陵守备队队长，保护皇室墓地。他的部队虽无重武器，可也是一支武装力量。经过我地下党工作，已就起义大事商量妥当，但是事后此人消失了。

先父听后既惊喜又不无遗憾地告诉市委书记：“金溥安是我的第三子，1944 年突患脑溢血病故。”令先父感到欣慰的是，自己的孩子谢世前投向了人民革命阵营，虽然壮志未酬，但是金溥安的三个女儿先后穿上了军装，走进了人民解放军的行列。金霭月，毕业于长春白求恩医学院，是一位出色的部队军医；金霭珧，参加湘西剿匪战斗，后入朝作战；金霭秀，一位多才多艺的姑娘，成长为广州军区战友文工团演员，常年为部队服务。直到晚年，先父总以这三个孙女为傲，对别人津津乐道。

同年 9 月，第一届全国人民代表大会第一次会议召开。昔日郡王衔多罗贝勒与全国各族人民代表一起共商国是。会场内外，大家特别关注先父和另两位代表。一位是先父的女婿、蒙古族代表达理札雅，一位是达理札雅的女婿、藏族代表班麻旺秀（又名杨复兴）。三位代表，三个民族，两代女婿一起与会，是中国各民族大团结的缩影。达理札雅的女婿杨复兴，共产党员，甘南军分区副司令员，积极参加剿匪平叛战斗。他出生于世袭土司之家，追求进步，主动废除沿袭三个朝代、历时五百三十多年的土司制度，为解放事业做出重要贡献。

1955 年 7 月 5 日，先父出席了中华人民共和国第一届全国人民代表大会第二次会议。在大会休息的时候，周恩来把先父介绍给毛主席，毛主席握着他的手高兴地聊了起来。事后，先父告诉我，在谈话中毛主席特别肯定了清朝的两位皇帝康熙和乾隆，指出他们在反对侵略、反对分裂、维护国家领土完整、促进民族大团结方面对祖国做出的贡献。平时先父饮酒由我控制，每次只给他斟两小盅。为了身体健康，先父乐于接受这种限制。可是那一天，他说：

“今天我可要喝酒三杯！”

在新时代，松赞干布、成吉思汗、努尔哈赤的后人与党和国家领导人一起共谋建设新中国的宏图伟业，特别是亲耳聆听到毛主席对历史人物的公正评价，先父心中久久不能平静。一段时间，每遇到亲友故交，先父就把人代会上的见闻如数家珍般地说个不停。

不久，先父被聘为全国政协委员，积极参加政协组织的活动，并被推举为政协民族组副组长。为了更好地工作，他认真学习党和国家的民族工作方针政策，听报告、讨论发言、下基层搞调研，什么活动都少不了他。无奈岁月不饶人，人们发现已近七旬的他总爱把手掌拢在耳廓外，听力减退了。一次，政协领导在民族组会议后把他请到休息室送给他一副助听器。从此，先父的学习热情和参加社会活动的积极性更加高涨。他说："领导这么关心我、体贴我，何以为报呀？"

1957 年，先父又出任北京市民族宗教事务委员会副主任。作为满族中德高望重的前辈，他遍访郊区县少数民族聚居地区，宣讲民族政策，检查有关民族工作情况，所到之处受到群众欢迎，尤其听到大家都尊称他为"载老"时，感慨万千。"七爷""贝勒爷""老载""载老"，这四个称谓，反映了时代的巨大变化，更令先父感到，只有在新中国人民的关系才是平等的，互相尊重的。他庆幸自己赶上了新时代，看到了中国的新生、民族的新生、家庭的新生和自己的新生。他有幸经常聆听周总理教诲，常挂在嘴边的一句话就是"听周总理的，活到老，学到老，改造到老"。

1970 年 9 月 2 日，先父在北京逝世，终年 83 岁，骨灰安放在北京八宝山革命公墓。

## 徐 进

又名徐宝仁。北京人。1942年12月生。擅长漫画。自学绘画及艺术理论，1978年正式从事新闻美术工作。工人日报社高级编辑。作品有《车轱辘话》《整齐划一》《暗沟》等。曾八次获“中国新闻奖”。作品《儿时琐记》等被中国美术馆收藏。出版有《徐进漫画》。

# 平生风义兼师友

百岁漫画大家方成老师与世长辞了，噩耗传来、我心头颤抖，悲痛不已。和方成老相识在上世纪50年代，先在北京少年宫后在劳动人民文化宫，从听课到拜师（当时叫辅导员）算来已有60余年矣。方老和我都属马，他大我两轮。“平生风义兼师友”，在一个甲子的风风雨雨时日里，我见证了方成等老一辈艺术家的爱国情怀和对中国文化的无私奉献。方老作为享誉中外大师级的漫画界元老，他知识渊博，阅历丰富，古今中外，天南地北，妙语横生，风趣健谈。他具有非凡的新闻洞察力和敏锐感，善于分析社会心态，捕捉创作题材，使其漫画作品有了责任与担当，也就是在人民心中有了分量。方老平易近人，关注“衣食父母”的苦辣酸甜，人们和他接近时，他就是个和蔼谦虚的小老头。他是艺术家更是平头百姓，他眼光平视，能听到大众心声，抚摸到社会的脉搏，有感而画，成为群众的代言人，创作出传世的佳作。

方老一生钟爱幽默，将其贯穿于生活、创作以及为人处事之中。他说，漫画家和喜剧、相声演员经常聊聊幽默；深入民间采风，积累“笑料”大有裨益，聚“沙”成“塔”用之不竭。幽然是睿智、风趣、含蓄的结合体。拐个弯说笑话不仅俏皮还会意味深长，寓教于谐。譬如第二次世界大战期间有个笑话：罗斯福、丘吉尔、希特勒一起到上帝那里，上帝站起来欢迎罗和丘，唯独见希特勒时不站起来，为什么呢？上帝说：“我不能站起来，我站起来他该坐下了。”以此讥讽希特勒野心之大，表现得淋漓尽致。漫画里也有这种借喻的构思，讽刺铅笔质量不好常划破纸。画一位老太太用铅笔纳鞋底，说“这笔真好使！”，明明不好，还说好，这就是来自民间的幽默。我们眼下缺少的就是这种构思。

方老常说“要化丑为美”。一幅好的漫画首先是一件艺术品，必须讲究形式美。老鼠是很丑的，美国漫画家创造的米老鼠形象就很美，齐白石画的老鼠能挂在墙上欣赏……故此，方老等身的作品构思奇巧，造型严谨，针砭时弊，令人回味。例如《武大郎开店》《肿瘤手术》《一人得道》《靠背椅》《六个和尚》等作品在坊间广为流传，甚至被改编地方戏。

方老独辟蹊径的水墨漫画着力摇索着作品的民族化、中国风，汲取民间艺术的营养，采用古今典故、谚语或配上别具一格的“打油诗”，使其接了“地气”，“画中有诗，诗中有画”的创造力、想象力、震撼力，美学价值构筑了涵泳大雅和浪漫奇绝。《鲁智深》《钟馗系列》《布袋和尚》《神仙也有缺残》、电影海报《茶馆》等作品均让业内外人士视为经典。

“以人为善”被方老奉为为人之道，也是其工作方法之一部分。和他交往中，听不到嘲讽和责怪，多是帮助和建议，让人一笑三思。每当作者（尤其是青年作者）拿着草图请方老指点时，他会不遗余力地出主意、想办法，“挽救”不成熟的“坯料”，甚至“化腐朽为神奇”，有时还将自己的构思成人之“美”。方成先生的“善举”是全方位的，他不仅桃李满天下，自家小屋还是朋友之“家”，南来北往的漫画和文化人来京都都到方宅做客，闻名而访的“落难者”他都不慢待。当时尚未落实政策的名记者张高峰，画家沈同衡、丁聪、李行百，摄影家狄源沧，诗人晏明等，我都是在方老家认识的。

方老对我的关心则是批评。他见到我，定让我“汇报创作近况”或找来报刊指出我画稿的不足之处，对我写的文章某些失误予以纠正。他对我所主编的“工人的画”画刊更是上心，经常攒几期画刊，集中提意见，提建议：哪几幅画的不错，哪些画太“水”，哪篇“画评”冗长，哪块版面缺“自由”……一点一滴地分析并指正，听得我常常汗颜，又时时茅塞顿开。

在 1997 年《工人日报》组织首都漫画家创作庆祝香港回归整版漫画时，方老恰施拔牙手术，老人家不顾流血不让说话不便，坐镇指挥创作，大家既感动又心疼，更加焕发了激情，顺利完成任务。

方成先生生于 1918 年。百岁老人长寿之“宝”乃是“笑”“动”“忙”。热爱生活的方老一生道路崎岖，他对于遇到的烦恼笑而置之——相声常听，笑话照说，其乐融融。方老生性好动游泳，打乒乓球，干木工活都十分在行，进入老年他还骑车上街买菜，串胡同会老友。尤其漫画界的义务活动老人家从未撂过肩……方老忙于画，忙于写，忙于社会活动，忙得没空生病，没工夫吃顿安生饭。他 80 岁后学会使用电脑，90 岁后画画吃力就写诗词，98 岁时还为中国新闻漫画研究会成立 30 周年题写了横幅，方老真是一位与时代同步而行的老人家！

说不尽的方成，他是名人。在我心中，是个凡人，可敬可亲的长者。而今，瓜熟自落，功德圆满。他像一阵风，悄然掠过，无声无息，长留人间的是他那脍炙人口的漫画佳作和几十部关于漫画和幽默的著作。方成老师那不知疲倦、长年奔波劳碌的身影和幽默友善健谈的风姿，更让人久久难忘。

# 绝响

JUE XIANG

# 路 遥

原名王卫国，出生于陕北榆林清涧县，中国当代作家，代表作有长篇小说《平凡的世界》《人生》等。

## 少年之梦

一个人一生会有无数的梦想。许多梦想都被生活的激流冲淡了，甚至会消失得无影无踪。但是，对于人类来说，没有梦想，也就没有现实，我们现实生活中许多惊人的奇迹，当初也只不过是人的一些梦想罢了，后来却真的变成了现实。那就是说，人是有能力将梦想变成现实的。

要将美好的梦想变为现实，无论对一个社会还是对一个人，都是不容易的，要付出所有的聪敏才智，要付出巨大的创造性劳动，甚至可能要付出自己的生命。但是，只要这种努力有益于伟大的人类社会，无论成功还是失败，都是值得我们去为之奋斗，为之牺牲的。

少年时期是最富于梦想的。少年的美好也正在于此。

我在少年时期，也有过许多梦想。想象长大后，当了一名国际刑事警察，既神秘又刺激，进这个国家，出那个国家，在火车站和飞机场与犯罪分子展开枪战，最后把明晃晃的手铐戴在坏人的手腕上。或者去当一名研究国际问题的学者，在风云变幻的国际局势中为政府提供多种咨询性的选择方案。也有些时候，梦想变成了一种胡思乱想，曾异想天开地试图驾驶一艘宇宙飞船，到遥远的太空去活捉一个“外星人”，并把他交给联合国。

某一天，我梦想将来要当一名作家，写出厚厚的书让人们去阅读。这在很大程度上是因为我小时候爱学语文，也爱作作文。我常常被课本中那些美好的故事、美好的思想和美好的语言所吸引、所感动。我暗暗思忖过，我将来能不能也写出美好的文章去感动别人呢？

我梦想长大后去当作家。

但梦想终究是梦想，要将它变为现实却要付出沉重的代价。从少年时期的这个梦想开始一直到今天把它变成现实，我已经整整为此劳动和工作了二十多年。我不敢说我已经像少年梦想的那样写出了美好的文章，可是我的确诚实地为此努力和奋斗过。

不是所有的少年之梦最后都能变成现实。但是，这并不要紧。随着年龄的增长，我们就会正确地认识自己的条件，去做切合实际的努力。我相信，每个人都有能力会把自己少年时期的某种梦想变为现实。重要的在于奋斗，没有奋斗，就不可能达到任何目标，那么梦想也就只能永远是梦想。一个人到了老年仍然一事无成地在梦想，这就是生命之大悲哀了。

为了明天，我们应该有无数美好的梦想。为了实现美好的梦想，我们要不懈地努力和奋斗。只要努力和奋斗，现实将比梦想还要美好。

# 忆路遥

王宜振

路遥走了，在一个寒风凛冽的清晨走了，他带走了他的事业，带走了对全省 700 万少年儿童的一颗爱心。多少人听到这个消息心碎了，多少人大声疾呼：“他还年轻，他不该走，不该走啊！”

路遥出生在陕北的黄土地上，他没有忘记黄土地对他的哺育，以《惊心动魄的一幕》《人生》《平凡的世界》一连串的宏伟巨著，向黄土地、向哺育他的人民献上一片又一片的厚爱。他的百万字巨著《平凡的世界》，耗费了六年心血，塑造了改革时代 100 多个平凡的栩栩如生的人物，一举夺得了第三届茅盾文学奖。在他步入中年的时候，已经成为我国文坛上一颗令人瞩目的新星。

去年冬天，我刊拟定开设一个《作家与小学生》专栏，决定让路遥写一写他的少年时代。编前会开过后，我又有点踌躇，路遥名气很大，多年来又从事长篇巨著的创作，创作任务又重又紧，在这个时候打扰他，合适吗？听说路遥获得茅盾文学奖之后，一些全国知名度很高的报刊都纷纷向他约稿，对他来说，简直可以说应接不暇。在这个时候，一个儿童刊物向他约稿，他肯答应吗？但想来想去，凭着我和路遥多年来的交往，还是想去试一试。我先让张晓梅同志把编辑部的意图告诉他，看他最近能不能抽出时间来。不几天，张晓梅告诉我：“路遥确实很忙，目前正在赶写《早晨从中午开始》，还准备出国……”我着急地问：“那，那咱们的稿子是不是黄了？！”晓梅眉飞色舞地说：“路遥已经答应了！”我已经40多岁了，听到这个消息，高兴得像个小孩子，差点跳起来。

过了一些时日，临近发稿日期，还不见路遥寄稿来。我着急了，便亲临路遥家催稿。我敲开门，路遥热情地迎出来，看样子，他十分疲倦，也许是他写得很苦，写得很累，连着多少个夜晚没有休息好，但精神却十分好。他像接待多年的老朋友，盛情地接待了我。我怕打扰他太久，便开门见山地说：“我是代表咱省700万少年儿童来的，想约你为《作家与小学生》专栏写一篇稿子……”说到这儿，路遥说：“晓梅已经给我说过了，这个稿子我一定写！”我说：“听说你最近很忙……”“是很忙，不少刊物约我写稿，我都推卸了，唯独给孩子们写稿，推卸不得，因为孩子们代表未来，代表希望啊！”听到这儿，我心里非常激动，路遥对孩子们、对祖国的下一代怀着一颗多么诚挚的爱心啊！

接着，我们又谈了些别的。谈到陕西的文学界，我说：“陕西文学界这几年成绩很大，不少中青年作家在全国获长篇、中篇、短篇小说奖，唯独儿童文学，还不太景气。一是队伍小，从事儿童文学创作的作者不多；二是苦于没有阵地，整个陕西，乃至整个西北五省还没有一家专门发表儿童文学作品的刊物……”路遥接着说：“有一个刊物就好了，通过刊物，会把许多作者联系在一起，团结在一起，还能培养出一批新的作者，那时候，我们的儿童文学就会出现一个繁荣的局面。”说到这儿，路遥显得十分高兴。我说：“听说你要担任下一届作协主席，新的作协班子成立以后，咱们能不能创办一个儿童文学刊物呢？”路遥说：“那怎么不可以？！”我说：“如果创办儿童刊物，还是请你挂主编最合适。”路遥听了，很严肃地说：“你搞儿童文学多年，又多年来负责办儿童刊物，有着丰富的经验，还是你当主编最合适。如果作协新班子成立，就让你来筹备这个刊物。”听到这儿，我心里十分激动。路遥这位大作家，对少年儿童的事多么关心啊！可是，路遥没有等到作协换届，也没有看到这份儿童文学刊物创刊，就过早地离开了我们。

过了几天，几页带着墨迹馨香的稿子送到我的手里。那稿子的题目是《少年之梦》。同时，还送来一张路遥为孩子们签名的照片，我看了，十分满意，便立即发在当年的第 2 期《少年月刊》杂志上。路遥在文章中为孩子们写道：“一个人的一生中会有无数个梦想”，“要将美好的梦想变为现实，无论对一个社会还是对一个人，都是不容易的，要付出所有的聪敏才智，要付出巨大的创造性劳动，甚至可能要付出自己的生命。”路遥，为了实现他从小就有的作家梦，进行了长达 20 多年艰苦的努力和艰辛的劳动，终于献出了自己年轻的生命。多少人在沉痛悼念路遥的同时，也深深地感到：路遥的一生虽然短暂，却十分辉煌，他生命历程的分分秒秒，都闪耀着生命的光辉。

路遥走了，路遥的事业要我们的千千万万个少年儿童去继承，让我们的孩子以路遥的精神去学习，从小为自己崇高的理想去努力、去奋斗吧！

**王宜振**：中国作家协会会员，中国作家协会儿童文学委员会委员，在《人民日报》《人民文学》《诗刊》等一百余家刊物发表诗歌二千余首、童话五十余万字。曾任陕西《少年月刊》主编。

吴克敬

陕西扶风人，西北大学现当代硕士，西北大学驻校作家，陕西省作家协会副主席，西安市作家协会主席。曾获冰心散文奖，柳青文学奖等奖项。2010年，中篇小说《手铐上的蓝花花》获第五届鲁迅文学奖。

# 我与路遥

“像牛一样劳动，像土地一样奉献。”我又一次站在路遥的墓碑前，看着铭刻在墓碑上他说过的这句话，我依然无法抑制眼泪扑簌簌地要流出来。

我为路遥落泪，自己不知已有多少次了。但我知道为他落泪，是在我听闻他英年早逝的那个日子。而那还不是头一次，因为我在《收获》杂志1982年第三期看到他的中篇小说《人生》时，就流过泪了。不过这一次为路遥流泪，是我流得最痛心的一次。我与路遥生活在同一个城市，可是告诉我路遥早逝噩耗的人，却是远在千里之外的同乡董生龙。他那时做着青海省作协主席，并兼着《青海湖》杂志的主编，我听了他电话里的话，愣了有好一阵，我愣着知道自己流泪了。我流着泪先在心里叹惋地轻语了一声：盛世英华，可惜了……我叹息路遥的英年早逝，想他如果活着，不知还有多么了不起的文学贡献呢！

路遥的生命，或许就是为着文学而存在的。听他说过，在七八岁时，因为家里穷，父亲把他带到几百里外，过继给了他的伯父。当时说是来玩的，几天就回去，可父亲却在来日清晨，撂下他一个人悄悄地溜走了。尽管路遥那时还小，但他敏感的心已有察觉，他不想让父亲难堪，在父亲溜走时，他跟了一段路，出了村子，躲在一棵大树的背后，目送着父亲走远。路遥深情地记录了这次经历，说他真想大喊一声，跑过去，抓住父亲的腰带，死活跟着父亲回家去。但他控制住了自己，任凭眼泪唰唰唰地往下流。他知道，伯父虽说也老实，也贫穷，但还咬牙能够勉强供他读书。这就非常好了，年幼的路遥，把能读书上学看得重于一切。

这是路遥的智慧，唯其如此，我们今天才能谈论路遥，怀念路遥。

坦率地说，我能走上文学之路，是路遥的《人生》带着我走来的。

上世纪的80年代初，我在扶风县农机局“以农代干”地打发着日子。现在的人很少理解“以农代干”这样的名词了，如果读了路遥的《人生》，认识了《人生》里的高加林，知道了他的特殊身份，大概就能知道以农代干的意思。也就是说，我虽然身在机关做着干部的工作，吃的却是农业粮，是要把生产队分配给我的粮食，按照合同约定，缴售到辖区粮店，拿着粮店的收购清单，再到工作的单位，由分管后勤工作的人按合同从县粮食局等量兑取粮票，我才可以在工作的单位吃到食堂的供应。这样一个身份决定我的姿态必须是积极主动的，小心谨慎的。否则，随时都有被解除的危险。

刊发了《人生》的《收获》杂志，就在这个时候捧在了我的手上。是夜，我卧床看了一个开头，就再也放不下，一口气读到深夜三时多，把路遥的一部《人生》读完后，翻过来，对其中的一些章节又重读了一遍。我读得泪流满脸，为高加林，为刘巧珍，也为黄亚萍等……在我的意识里，觉得路遥笔下的高加林就是我，他的理想和追求，他的命运和生活，几乎就是照着我当时的思想轨道和生活道路来写的。

合上杂志，我闭上眼睛，却还关不住热喷喷流出的眼泪……无可奈何，我从床上爬起来，坐在了一张简陋的三斗桌前，认真地开始了自己的文学写作。

到今天，缅怀路遥，我最为感动的，是他影响了我，引领我无怨无悔地走上了文学之路。

其实要说，不只是我，那一代如我一样的青年，谁没有受路遥的影响？谁没有被路遥所引领？他的成名作《人生》，以其强烈的现实主义色彩，将永远成为影响和引领人们追求美好生活的精神向度。

记得几年前的一个腊月天，我和几位文学界的朋友受邀去陕北的志丹县参加一次文学活动。主办者召集了一场声势浩大的报告会，轮到我作报告时，选题自然地定在了路遥和他的作品上，我给大家说，我在陕北这块神奇的土地上，说不出别的话，但我愿意和大家重读《人生》。

重读《人生》，从哪儿读起呢？

我不知别人会怎么说，但在我阅读了路遥的全部作品后，我想我们从他的随笔《早晨从中午开始》来读，也许更能读得懂路遥，也许更能够读得透《人生》。

《早晨从中午开始》是一个阅读路遥和《人生》的通道，从此能够真切地穿透他的作品，从而进入他的内心世界，使我们清晰地看到他对文学的执着，以及创作过程的艰辛，正所谓“字字看来皆是血，十年辛苦不寻常”。是的，他的追求与成功，他的忧思与矛盾，都深深地渗浸着传统文化的汁液，这是他作为一个农民的儿子的生命必然，他因此受益匪浅，成为创作时取之不尽的生活源泉。他立足于此，又眼观世界文化，广纳博取，把鲁迅，把托尔斯泰、肖洛霍夫等大家名篇百读不厌，使他的创作境界宏阔而高远，又意韵深长。

奠定了路遥创作基础的《人生》，应该是他这一生命和生活背景的必然产物。他年轻的生命，就曾不停地奔波在“城乡交叉地带”，充满生气和机遇的城市生活，对于身处封闭贫困农村的他构成了一种双重的刺激，是物质上的，更是精神的。路遥痛苦地思考并理解了这一现象，于是在有可能破除旧的框架，产生新的机遇时刻，他敏锐的突入进去，用他的笔，形象生动地为苦闷着的农村青年（有知识没知识都没关系）推出了一个独具典型意义的人物。

这个人物就是高加林。他身上具有了现代青年敢于向命运挑战的自信和坚毅，同时又保持着质朴和勤劳的传统美德。他心性极高，有着远大的理想和抱负。当生活给了他可能大显身手的机会时，他即投入了极大的热情，努力工作，力图有所作为。在此之前，村子里日出而作、日落而息的生活，让他无奈而苦恼，甚至有些绝望，恰在其时，善良美丽的农村姑娘刘巧珍闯进了他的生活。这使失意至极的高加林获得了精神上的慰藉。突然地，高加林的生活发生了变化，他走进了理想中的城市。在这里，他又遇到曾是同学的城市姑娘黄亚萍。与巧珍相比，黄亚萍的洋气以及开朗活泼、大胆炽热，自然使高加林的情感发生了倾斜，慢慢地接受了黄亚萍的爱。这使刘巧珍大受伤害，但心地善良的她，眼含热泪接受这一难以接受的现实。

好梦总是难圆。高加林进城的事因为体制的原因，他被人告发了。结果，他只有再次回到农村，而且一下子扑倒在了黄土地上。

《人生》之后，路遥开始三部六卷本长篇小说《平凡的世界》的创作。这个史诗般的鸿篇巨制中，路遥一口气写了 100 多个各具时代特色的人物群像，其中孙少安、孙少平两兄弟，是路遥所要着意刻画的，在他们俩的身上，依然有着高加林挥之不去的影子。因此，在我看来，《平凡的世界》是路遥成名作《人生》的一个延续和拓展。所以说，我们重读《人生》，是要把《平凡的世界》联系起来一块儿读的。每一个人读了，可能都会有自己的体悟，但我认为，入木三分的写出生活和苦难、残酷的卑微，绝对是路遥文学实践的一个特色。或许，一个作家做到这一点并不是很难，都可能达到路遥的水平，但要像路遥那样，在创作中不致于陷入平庸沉闷和种种不如意的泥沼，神奇地转化成高尚闪光的艺术品，就不那么容易了。而这也许就是我崇敬并怀念路遥的一个根本性的原因。

贫穷不是罪过，寒酸不是低贱，落魂不失纯真。多年前，我提出重读《人生》，直到今天，我还想再次提出重读《人生》。我不断地重读《人生》，让我更加坚实了过去对于路遥的认识，他这样诗意的创作态度，牢固地树起了他作品的美感特质，并因此影响着我，使我在进行文学创作时，是也要坚持诗意的创作态度，树立起诗性的美感特质……1985 年《当代》三期刊发了我中篇小说《渭河五女》，我不敢说我的作品就有了诗意的特征，但我敢说，我是向那个方向努力了的。

在我的书柜里，有好几格陈列着发表了我作品的杂志，排列在最醒目处的是发表了我《渭河五女》的《当代》，紧靠着的即是发表了路遥《人生》的《收获》，而且是发表他人作品的唯一一卷杂志。我这么做，不能说是想与路遥并肩，而是想要紧靠着他，感受他的文学体温，以他的文学为标杆，衡量自己的创作，不要偏离了诗意的方向。

1986 年的夏天，我因在《当代》杂志发表了中篇小说《渭河五女》，被县上安排在文化馆搞群众文化辅导工作。路遥在这一年完成了他三卷本长篇小说《平凡的世界》的创作，《花城》杂志的主编亲来陕西约稿，想要去凤翔县参观考古开挖的秦公大墓。此前一天，路遥给我打来电话，车过扶风，还想去扶风县境的法门寺走走。我答应了路遥，来日在县文化馆等到了路遥。他的到来，使我喜出望外，又是泡茶，又是找烟，同时汇报到县文化局，由时任扶风县文化局局长的韩金科（此人后调法门寺地宫出土文物博物馆任馆长）出面接待。

韩金科也是路遥的作品迷，他在很有西府饮食特色的县招待所安排了一个包间，派人嘱我，陪同路遥去了那里。一路上，路遥对我说的，都是鼓励和关心我的话，并且特别嘱咐，要注意身体。

他是用柳青的话来嘱咐我的：文学是以六十年为单元来计算的。

那次与路遥在扶风县招待所吃饭，喝了一顿西府特产太白酒。已故陕西作家王观胜曾话嘱我为路遥写篇纪念文章，我在写作时，就招呼来几位好友，在西安城一家西府特色的饭馆，吃了一顿西府饭，喝了一场太白酒。前一天，友人微信要我再写一篇怀念路遥的文章，我答应着他，不由自主地就又招呼来几位朋友，选了一家西府餐厅，喝了一场太白酒……酒店的服务员按照职责，要给我的朋友斟酒时，我把酒瓶拿过来，转着圈儿为在座的每位朋友倒了一杯。我说了，咱们为路遥敬杯酒吧。

听出来，我的声音有点喑哑，但大家都站了起来，端起杯，互相碰了一下，都默默地倾进了喉咙。

就在我喝着太白酒的这次聚餐中，我把藏在心里关于路遥的一段话，说给了大家。那段话是路遥的生命挨到最后的时候，当着我的面说出来的。因为有我在扶风县接待路遥的经历，他和我在此后的日子里，多了一些往来，我身在基层的扶风县，常有来西安城办事的机会，幸运地碰到了他两次。与别人碰到了也就碰到了，打一声招呼，说几句不咸不淡的话，也就过去了。但与他碰见了，他是非要拉住我，把我拉去他的家里，坐一坐，说说话，吃一顿饭……包饺子是那时招待朋友的高规格了。路遥不怕麻烦，接待我就一定要包饺子。但他包饺子的水平是有限的，我看在眼里，便毫不见外地要上手了。我们一起在他家里包饺子，吃饺子，倒是其乐融融，快活不已。

数年时间过去，我从扶风县文化馆先是入西北大学读研，后去咸阳报社生活，再调西安日报工作，我的生活与工作环境发生了不小的变化，到手的活儿，还有眼前的活儿，都与文学不搭界了。但我依然留心着文学圈子里的事情，突然从报社跑文艺的记者口里听说了路遥的健康问题，让我吃惊不小。不过我没想到问题会那么严重，直到路遥的弟弟、我的同学王天乐寻到我的办公室，说他哥在病床上念叨我，我便二话不说，站起身在王天乐的陪同下，去了路遥住院的第四军医大学，拜见了他。我没想到，那次拜见竟是永诀！短短十来分钟的见面，是他主治医生对我的要求，我俩没有机会多说什么，我拉着他的手，他拉着我的手，我俩一时相对无言，到我按照主治医生的要求，就要与他告别时，他开口向提了一个问题，还提了一个要求。

路遥向我提出的要求是，想喝一碗钱钱饭。我不知钱钱饭是什么，问他弟王天乐，说是他们陕北十分寻常的一种稀饭。原料就是小米，煮在锅里，投进些平时用石头砸扁了的黄豆或是黑豆，熬煮出来的稀饭，即是钱钱饭。他的这个要求并不困难，我当下派了报社的一辆小车，上了一趟陕北，弄下来熬煮给路遥吃用了。可他提出的那个问题，让我犯了大难，我不知道怎么应对他了。

路遥提出的问题，是要我猜他生来最钦佩的人是谁？

我认真地猜了。当着他的面猜了肖洛霍夫，猜了鲁迅，猜了他自己，这是因为我平常日子，听他最爱讲的文学巨匠，除了肖洛霍夫，就是鲁迅，而他自己又特别自信，所以我依次地猜来，猜一个人，他摇一下头。所以我猜了司汤达，我猜司汤达是因为我阅读他的《人生》，还有《平凡的世界》，以为他的创作，是受了司汤达的影响了。可他依然摇了头……路遥摇头告诉我，说我是猜不出来的。他甚至说谁都猜不出来，因此他不让我猜了。到这时，我看见他病弱的脸上，浮现出一种我捉摸不透的笑容来，让我把耳朵靠近他的嘴巴，向我说了三个我埋在心里一直不忍说出的三个字。

路遥说：强奸犯！

这三个字的回答，震得我耳膜疼！我怀揣在心里，想了许多年，一直想不明白，高洁如他一样的人物，怎么能够在他生命的最后日子里，说出那样的话来？前些日子，我把路遥曾经说了的这句话，给一位我十分信任的文学领导说了说。正是这次说来，让我过了些日子，突然有了种茅塞顿开的醒悟。

路遥“钦佩”的强奸犯，绝不是生理意义上的，而是精神上、灵魂上的那一种强奸犯！

呜呼哀哉！我心里永生着的路遥啊！

## 顾　骧

当代文学理论家，作家、研究员。中国人民大学哲学系研究班毕业，14 岁参加新四军苏北文工团。长期从事新闻、出版、教育、文学、文艺研究等工作。曾在中宣部担任周扬秘书，后任中国作协创研部主任。著有：《顾骧文学评论选》《顾骧散文随笔选》以及《晚年周扬》等多部著作。

# 我上海的二位姐姐

### 一

近两年，我每去上海，都让我的外甥女孙品与外甥婿江晓汇，请来我的两位姐姐，他们的母亲顾宝筠、江萍，到她们位于淀山湖西岸昆山地界的别墅小聚盘桓。两位姐姐是童年时的同学，如今儿女亲家。

我的家乡阜宁，原是苏北一个偏僻的古老的小县城。在我五岁那年，家人认为我应开蒙念书了，请来了我的表叔孙福来，设馆任教。在我家前院外客厅楼上，辟了三间房，一间作为老师居室，两间作为书房。学生只有我和我姐姐宝筠两人。我胞姐长我三岁。读了不到两年，一套“蒙学丛书”都念完了，什么《声律启蒙》《笠翁对韵》，也都顺口溜似的念了一通。习字，从描红到临帖，临完了颜真卿的《多宝塔》碑，到柳公权的《玄秘塔》碑。这时该上正规学校，进“洋学堂”了，我姐姐带着我上学，为了好照顾我，就一道进入城中女子小学。城中女小是完小，分高小、初小两部分。五六年级高小，只收女孩；四年级以下初小，男女孩子兼收。我姐十岁，进入高小五年级；我七岁，则进入初小三年级。

江萍姐原名江媛枢，与我们家有点亲戚关系，住县城射阳河边，每天早晨穿过县城南门，走南门大街，到了我家，约我姐一道上学。我们家仆人都熟识这位江家二小姐。我叫我家宝筠姐为大姐，称江萍姐为二姐。江萍姐与我大姐同龄，都为十岁，也是同级五年级。她们都穿着阴丹士林布短旗袍，似乎是校服，在家里她们并不总是穿这样衣服。

出我家后门，经一条短巷，迎面是一条小河，沿河向北不远，过一座小石桥，是一幢粉墙乌瓦小筑，一个院落，门口挂着蓝字校牌：“阜宁县立城中女子小学”。两个姐姐在前面走，我像一条小尾巴，跟在她们身后。她们两人有说不完的话，跟我没有多少好说，只是不时掉过头来招呼我，不让我走远了。傍晚放学，是我一天最快乐的时光。姐姐不太认真管我了。夕阳余晖，我在小河边观水中游鱼，看草丛青蛙。捡起一块瓦片，打水漂漂，任一圈圈涟漪漾向远处。姐姐们唱着：“长亭外，古道边，芳草碧连天。晚风拂柳笛声残，夕阳山外山。”这时抗战的烽烟在北方已经燃起，小县城也已感到动荡的生活即将来临，国难日蹙。我们也唱着激越的古曲“满江红”，哀怨的“松花江上”。

## 二

在小学念了一年书，战事爆发。打着猩红太阳旗的日寇践踏恬静小城，阜宁沦陷，城垣遭轰毁。日军过境后，回家所见，县城西门外乱坟岗上遭日军杀戮浅埋的同胞尸体，野狗争相刨食。我第一次见到人类兽性的罪恶，幼小的心灵为之震慄。之后，我们全家避居乡间，四处逃难。在那数年，作为诗礼之家，每到一地安顿下来，都要延师设塾课读。读了《昭明文选》《古文观止》；也读唐宋诗词，读近现代文学作品，读梁启超，读冰心、黄庐隐，读鲁迅、郁达夫。嗅到了一些“五四”新文化气息。

1941 年，震惊中外的皖南事变爆发，陈毅率领的新四军渡江北上，与由黄克诚统率的从冀鲁豫南下的八路军第五纵队，在我家乡会师，在盐城重建新四军军部。代军长陈毅盐城誓师，通电就职，决心抗战到底，聚我吴楚豪杰，独擎东南半壁，重开华中抗战新局面，人心为之大奋。正如陈毅诗所状：“江淮河汉今谁属？红旗十月满天下。”平原沸腾了，水乡沸腾了，大地觉醒了，人民觉醒了，我在抗大式的抗日中学联二中读了一年书后，毅然从戎投军，参加新四军苏北文工团。那年十四岁。此事在亲友间引发广泛议论。人们传告：“桐大太太家孙子当兵了。”“桐大太太”是我祖母。我祖父名顾汝桐，早逝，祖母当家。作为阜宁首富，桐大太太家颇有点名气。我母亲对我参军一事，更是伤心、惊惧，竭力劝阻。一条很有说服力的理由是：“你年纪还小，还应该念书”。而我，报国的民族激情，无法遏止。硬着心肠抛家辞母，义无反顾。

## 三

岁月滔滔。少年时光，伴着战争，伴着地下斗争流逝了。

落日照大旗，马鸣风萧萧。打跑了日本人，又经历了内战。到了 1949 年的春天，国民党军队兵败如山倒。春节甫过，淮海战役结束后，来不及休整的华野部队，便漫径遍野的南移集结，饮马长江。解放战争最后一场大仗渡江战役快要打响了。大战前夕，气氛紧张而宁静。乡村农舍墙壁刷着擘窠大字标语：“打过长江去，解放全中国”“打到南京去，活捉蒋介石”。人们心情处于高度兴奋状态。那时我们驻扎在长江边上集训，等待渡江。新组建了“华中新专文工团”，担负过江后江南新区的宣传任务，排演大型秧歌剧《王贵与李香香》，建制划归解放后的无锡市军事管制委员会。在剧组筹建的动员会上，宣布了演员名单，令我惊喜的是主角李香香，竟然是我的江二姐江媛枢。那时我完全不认得她了，她已经改了名字（其实我也改了名字）。黄毛丫头十八变，她已由一个十岁女孩出落为一名亭亭玉立的女战士。虽说，我们是苏北文工团战友，但苏北文工团是由原九支文工团整编、合并组成。原来我们各自在分团活动，互不相识。在这个戏里，我扮演李香香的父亲李德瑞李大爷，我们在戏中成了一家人。江萍姐就像那时许多女文工团员一样，一顶军帽，微微斜在头上，露出一缕乌发，一身土黄军装，系一条束腰皮带，打着结实的绑腿，英姿飒爽，走在路上，从那风度，人们一眼就可以认出：那是文工团出来的。

十年战乱，十年重聚。
百万大军，长江横渡。

我们在解放后的江南无锡，将满溢黄土高原气息的秧歌剧奉献给新解放的人民，在中山公园的人民剧场连演十场，场场爆满。五月江南，榴花似火。

这一年秋天，江南多雨。潇潇细雨中，满街红旗，满街锣鼓，满街鞭炮硝烟，迎来了共和国的诞生。那时，在新生的祖国，在每一个人生命历程中，展现在面前的是一片绚丽的朝霞。那年我年未及冠。诗人胡风在《人民日报》发表了一首长诗，题目是“时间开始了！”这真是神来之笔，这样诗的语言，堪称千古绝唱。还有什么语言能如此道出那个时代精神的诗意？能如此道出人们内心诗的激情？

可是“娜拉走出以后”呢？

有多少人思考了《娜拉走后怎样》（鲁迅）这个命题呢？包括写出“时间开始了！”的诗人胡风，也许做梦也没有想到，在仅隔五年以后，以他领衔的牵连上千人的开国第一文坛冤案，劈头盖脸地降落了下来。

我们在江南短暂相聚后，各自奔向了新的征程。江萍姐已结婚，姐夫江华是位老牌红色特工，他们由江苏省公安厅转到上海，后来在统战、政协战线工作。我的生死与共的战友，地下斗争的顶头上司张璧，在“潘杨事件”后，黄赤波由江苏省公安厅厅长调任上海市公安局局长，亦随同去沪，仍继续他那红色特工生涯。我由江苏省教育厅奉调晋京，到中央人民政府出版总署工作。

## 四

流光荏苒。到了20世纪80年代初，又是三十年过去了。“十年一觉邯郸梦。”在那黑暗的大疯狂、大动乱年代结束之后，人们进入一个反思年代，全民族的反思年代。一位伟人说：“不改革死路一条”，斩钉截铁。

1982年，我母亲在上海病逝。我母亲和我姐姐一起生活。我姐姐一直在上海。我姐姐幼时，我们祖母在世，曾与我大姑母有约：将我姐许配给我的一位表哥，俗说所谓“娃娃亲”。但那时兵荒马乱，关山阻隔，此话也是一说而已。但我大姑母在战事起时，还是派人将我姐接往上海读书，在一所德国人办的医校学医。我姐姐打小起就觉得有照看我这个弟弟的义务与责任。1948年，我在上海短暂避居，生活无着，我姐姐用实习打工的收入接济我。待我得到组织上通知，听从地下交通安排，立即撤回华中解放区时，无法与她联系；对我这个弟弟突然失踪，姐姐多方打听，到处寻找，坐卧无宁。直到隔年上海解放后的一天，一个青年军人，她的弟弟，出现在她面前时，一时间，悲喜交集。

我母亲病逝前后，我请假在沪，病榻侍奉，医院护理。办完丧事，好友李子云接待我在沪休息。一天，江萍姐看我时谈起：我大姐对我说，你在上海文化界熟识人多，留意谁家有合适的孩子，给外甥女孙品介绍一位对象。我外甥女品貌端方，对传统伦理文化精华，泳涵优深，事母至孝。而且我母亲在世时，她对外婆更是敬爱有加。我很喜欢这位外甥女。此事使江萍姐心动；她与她爱子晓汇询起，也使晓汇心动。缘分前定，由我撮合，她们两人情投意合，遂结成连理，成就了一对美满姻缘。如今快三十年，他们事业有成，生活美满。我的两位姐姐，童年的“发小”，如今成了儿女亲家。不幸的是我两位姐夫，先后弃世，两位姐姐往来更亲密，而对于我则有了更多与她们谈起前尘往事的机缘。

## 五

午夜梦回，我总是萦怀于心的是，我生死与共的亲密战友、地下斗争的顶头上司张璧，而江华姐夫则是张璧的顶头上司。南方策反工作是敌工部这条线派遣的。江华兄去世只留下一本《太湖剿匪记》，还是在报纸上连载的，而他把一肚子故事，一个老牌红色特工的生涯带走了。现在有幸从江萍姐那儿知道了更多往事，也知道了我想知道的张璧兄牺牲的细节。

我亲姑父裴康仲民国年间一直在京沪等地任法官，在司法界名气颇旺，人脉很广。沦陷时期可能有点问题，后居上海愚园路，但在司法界影响仍很大。华中工委敌工部了解到我有这重要社会关系，以为在国统区合法斗争还是有用的人物，遂派遣我前往策反。我这个十几岁的孩子，会做什么策反工作？无非是要我联络、沟通；进一步工作将会另派人进行。作为身份掩护，安排我到扬州何家花园内的同仁中学读书，自会有人与我联系。完全没有料到与我联系的领导人竟是张璧，曾经的大学长。

张璧清癯白皙，双目有神，工书法，善弄箫，一副斯文模样。他的父亲张旭光便是这所学校的校长。张校长清华大学毕业，曾任第三战区司令长官顾祝同的幕僚，还谊兼同乡。谁都知道，顾祝同是蒋介石十分信任的肱股之臣，所以张校长在军界，与国民党高级军官有广泛的人事关系，是敌工工作一个极其重要的策反对象。张校长对于与原配夫人所生之子、早年留在家、现称当小学教师从“匪区”来的张璧抱有警惕，老于世故的张校长，对这位长子将信将疑。然而对于自己的亲生骨肉，本能地持保护态度。1948 年夏秋之交，国民党扬州驻军换防，原驻军黄百韬兵团，调任苏鲁交界的东海。张旭光校长与驻地司令黄百韬私交甚笃，所以一个时期我们在扬感到相对平安。黄兵团一动，特务系统没有了顾忌，马上动手在所必然。张校长通知张璧，他已失去了保护能力，快扛不住了。张璧与我毫不迟疑，立即离校。张璧去徐州，指示我去上海，留下联络处所与联络方法。

在上海，在一位友好人士协助介绍下，入浦东金家桥（听说现在叫“金桥开发区”）陆行中学就读。由黄浦江乘轮渡过江，到浦东高桥码头登岸，乘一段窄轨小火车，到金家桥站下。路边有几排平房，便是陆行中学。金家桥只是几十户人家的小镇，前几年我曾前往寻旧，陆行中学还在，可是在繁华热闹的市区，面前一条宽阔的大马路，原来的地形地貌已不复见。

在陆行中学时间很短，应该说我是犯了违背纪律的错误。那年秋天，上海中小学教师举行“总请假”。你说罢工、罢课、罢教不容许，那就叫“总请假”。我脑子一热，参加了学生“后援会”，这是不该的。策反工作与学运系统是两条线，互不发生关系；应该隐蔽精干，而不抛头露面。没隔几天，我宿舍被搜查，显然被人盯上了：这一次，我处理得干净利索，一得到消息，西过黄浦江，走得无影无踪，再没有回来。后与闸北大统路一家杂货铺姓刘的小老板联系上，得到命令，立即潜回华中解放区，由地下交通安排，经扬州、泰州，通过封锁线，平安到达华中社会部（敌工部改）报到，那已是淮海大战前夕，遂迅即全力投入支前工作。苏南解放，我与张璧兄“地上”重逢，真有隔世之感……

## 六

2012 年深秋的一天，我与两位耄耋高龄的姐姐，在淀山湖边漫步。孙品一手挽着她母亲我大姐宝筠，一手挽着她婆母我二姐江萍。这一带湖水清净、平缓，夕阳镀在水面，显得温暖。岸边树木露着苍翠色彩。我大姐满首皓雪。孙品打趣她妈妈：“老娘银色气质，越是高雅了。”她另一边婆母，身体健朗，行动舒展，乌云覆额。我似乎从她身上找到六十多年前舞台上名噪江南的李香香的倩影。策杖附骥，是我这皤然一叟的弟弟。

岁月太遥远了，太漫长了！遥远漫长得像一场缥缈的梦，恍惚在那平静小县城，沿着小溪，前面走着两位身着阴丹士林布旗袍的十岁女孩，低唱着：“……晚风拂柳笛声残，夕阳山外山。”后面是她们甩不掉的小尾巴的七岁弟弟。

潸然泪下。

好像是龚定庵的一个诗句涌现在我心头：“荣枯过处皆成梦！”

# 岁月悠悠话当年—忆父亲顾骧

顾苹

父亲去世已3年多了，物是人非。

这个期间我一直在做父亲的纪念文集的工作。发表在上海新民晚报的《我上海的二位姐姐》这篇文章，应该是父亲去世前的最后一篇文章。是他写他小时候的生活不太多的作品，让我们了解了那段尘封历史。也许人老了会更加怀旧，这也是他比较喜欢的一篇文章之一。非常不幸，前几周他的江萍大姐刚刚过世。

父亲每天看书写文章，睡得很晚。家人常常劝诫他按时睡觉。我提醒他岁数越来越大了，不能老熬夜，对身体非常不好。他说他知道厉害关系。可是就改不掉。他年轻时是记者出身，常年熬夜赶稿子，已成的习惯。他还拿出一张纸上面写的答应人家写稿子的时间和单位，告诉我他现在有时力不从心，有些文章没如期写完很是内疚。我还记得我小时候，妈妈把我从幼儿园接回家，总是嘱咐我不能大声说话、玩儿乐，别吵着父亲。我就会悄悄地推开他的屋门，总是看着父亲在屋里忙着，也无暇顾我，妈妈说父亲在做学问。长大以后每每傍晚我也养成了夜读的习惯。

我很喜欢父亲的散文。他写过好多篇关于夜读书的文章，他常说只有到了晚上，才思泉涌。休闲时通常放着丝竹乐，沏杯好茶。红、绿、白、黄、青、黑茶中，他最钟爱绿茶。他曾经说过，绿茶搪塞青翠，味道清香，略带苦涩。它不像红茶和乌龙茶，经过发酵与半发酵，它保持了茶的本色。“我喜欢本色，所以我喜欢绿茶。”知堂老人曾说过：“喝茶以绿茶为正宗”。宋人蔡襄著《茶录》，也有茶色以绿为贵的说法。他认为饮茶可以陶冶人的性情。

由于我在一家出版社做编辑，会经常和父亲聊聊图书，他也会给我一些建议。父亲总去三联韬奋书店买书，在那里待个半天，每次都是满载而归。出版业进入以管理为中心的时代，出版人无需再是饱读诗书的人，也不再负有对于大众的文化启蒙使命。读者想看什么就提供什么，出版社追求利润最大化是天经地义。残酷的市场经济，父亲对这样的图书市场非常担忧。

父亲主编了《文化人散文随笔》丛书，入选作者都是读专业 的专家学者。《未尽园林情》陈从周，《艺海沉浮》吴冠中，《江山风雨》袁鹰，《情泉》于是之，《也爱黄昏》顾骧，《画蔷》邵燕祥，《索玛开花的时节》贺捷生，《天堂兄弟》肖复兴，《莎乐美的七重纱》徐小斌，《桥的翅膀》铁凝。本来我们出版社想出，但种种原因没能出版，商务印书馆闻听，非常看好这套书，找到家里积极主动沟通，表示愿意出版此套书。真是不负众望，这套书一出版大获全胜。他多年对书的热爱，还有捕捉市场的本领。我很是佩服他。

**顾苹**：顾骧之女，作家，现任中国文联出版社编辑室主任。

# 域外

YU WAI

聂鲁达：归来的温馨（林　光 / 译）
穆尼尔·纳素夫：但愿夫妻不再陌生（解传广 / 译）
玛格丽特·奥杜：未婚妻（陆炳熊 / 译）

## 聂鲁达（林　光/译）

智利当代著名诗人。1923年发表第一部诗集《黄昏》，1924年发表成名作《二十首情诗和一支绝望的歌》，自此登上智利诗坛。他的诗歌既继承西班牙民族诗歌的传统，又接受了波德莱尔等法国现代派诗歌的影响；既吸收了智利民族诗歌特点，又从沃尔特·惠特曼的创作中找到了自己最倾心的形式。1971年获诺贝尔文学奖。

# 归来的温馨

我的住所幽深，院内树木繁茂。久别之后，房子的许多去处吸引我躲进去尽情享受归来的温馨。花园里长起神奇的灌木丛，散发出我从未领受过的芬芳。我种在花园深处的杨树，原来是那么细弱，那么不起眼，现在竟长成了大树。它直插云天，表皮上有了智慧的皱纹，梢头不停地颤动着新叶。

最后认出我的是栗树。当我走近时，它们光裸干枯的、高耸纷繁的枝条，显出高深莫测和满怀敌意的神态，而在它们躯干周围正萌动着无孔不入的智利的春天。我每回都去看望它们，因为我心里明白，它们需要我去巡礼，在清晨的寒冷中我凝然伫立在没有叶子的枝条下，直到有一天，一个羞怯的绿芽从树梢高处远远地探出头来看我，随后出来了更多的绿芽。我出现的消息就这样传遍了那棵大栗树所有躲藏的满怀疑虑的树叶。现在，它们骄傲地向我致意，俨然已经习惯了我的归来。

鸟儿在枝头重新开始往日的啼鸣，仿佛树叶下什么变化也未曾发生。

书房里等待我的是冬天和残冬的浓烈气息。在我的住所中，书房最深刻地反映我离家的迹象。

封存的书籍有一股亡魂的气味，直冲鼻子和心灵深处，因为这是遗忘—业已湮灭的记忆—所产生的气味。

在那古老的窗子旁边，面对着安第斯山顶上白色和蓝色的天空，在我的背后，我感到了正在与这些书籍进行搏斗的春天的芬芳。书籍不愿摆脱长期被人抛弃的状态，依然散发出一阵阵遗忘的气息。春天身披新装，带着忍冬的香气，正在进入各个房间。

在我离家期间，书籍被弄得散乱不堪。这不是说书籍短缺了，而是它们的位置被挪动了。在一卷 17 世纪古版的严肃的培根著作旁边，我看到萨尔加里的《尤卡坦旗舰》。尽管如此，它们倒还能够和睦相处。然而，一册《拜伦诗集》却散开了，我拿起来的时候，书皮像信天翁的黑翅膀那样落下来。我费力地把书脊和书皮缝上，事前我先饱览了那冷漠的浪漫主义。

海螺是我住所里最沉默的居民。从前海螺连年在大海里度过，养成了极深的沉默。如今，近几年的时光又给它增添了岁月和尘埃。可是，它那珍珠般冷冷的闪光，它那哥特式的同心椭圆形，或是它那张开的壳瓣，都使我记起远处的海岸和事件。这种闪着红光的珍贵海螺叫 Rostellaria，是古巴的软体动物学家 —卡洛斯·德·拉·托雷，有一次把它当作海底勋章赠给我的。这些加利福尼亚海里的“橄榄”，以及同一处来的带红刺的和带黑珍珠的牡蛎，都已经一点儿褪色，而且盖满尘埃了。从前，就在有那么多宝藏的加利福尼亚海上，我们险些遇难。

还有一些新居民，就是从封存了很久的大木箱里取出的书籍和物品。这些松木箱来自法国，箱子板上有地中海的气味，打盖子时发出嘎吱嘎吱的响声，随即箱内出现金光，露出维克多·雨果著作的红色书皮。旧版的《悲惨世界》便把形形色色令人心碎的生命，在我家的几堵墙壁之内安顿下来。

不过，从这口灵柩般的大木箱里出来一张妇女的可爱的脸，木头做的高耸的乳房，一双浸透音乐和盐水的手。我给她取名叫“天堂里的玛利亚”，因为她带来了失踪船只的秘密。我在巴黎一家旧货店里发现她光彩照人，那时她因为被人抛弃而面目全非，混在一堆废弃的金属器具里，埋在郊区阴郁的破布堆下面。现在，她被放置在高处，再次焕发着活泼、鲜艳的神采出航。每天清晨，她的双颊又将挂满神秘的露珠，或是水手的泪水。

玫瑰花在匆匆开放。从前，我对玫瑰很反感，因为她没完没了地附丽于文学，因为她太高傲。可是，眼看她们赤身裸体顶着严冬冒出来，当她在坚韧多刺的枝条间露出雪白的胸脯，或是露出紫红色的火团的时候，我心中渐渐充满柔情，赞叹她们含着挑战意味发出的浪涛般神秘的芳香与光彩；而这是它们适时从黑色土地里尽情吸取之后，像是责任心创造的奇迹，在露天里表露的爱。而现在，玫瑰带着动人的严肃神情挺立在每个角落，这种严肃与我正相符，因为她们和我都摆脱了奢侈与轻浮，各自尽力发出自己的一分光。

可是，四面八方吹来的风使花朵轻微起伏、颤动，飘来阵阵沁人心脾的芳香。青年时代的记忆涌来，令人陶醉：已经忘却的美好名字和美好时光，那轻轻抚摸过纤手，高傲的琥珀色双眸，以及随着时光流逝已不再梳理的发辫，一起涌上心头。

这是忍冬的芳香，这是春天的第一个吻。

穆尼尔·纳素夫（解传广/译）

科威特当代著名的散文家、作家。著有《真理——人生的动力》等。

# 但愿夫妻不再陌生

作为妻子，你是否感到你的丈夫还是那么陌生？你是否曾冷静地想过婚后多年来他的言行举止？朋友，但愿你不会觉得你的生活伴侣与你同床异梦。在这里，我要向你们讲一个真实的故事。

她独自坐在寝室的窗前，透过灰暗的夜幕，两眼极力地望着那昏黄路灯下的漫漫街头，翘首企望着能从深沉的黑夜中出现她所熟悉的身影。

他这些日子究竟是怎么啦？总是夜夜迟归。睡去多时，也不见他回来！孩子老也看不到他的笑脸。也许他新近接受的工作使他忙得不可开交？也许与友人聊天忘了时间？可是，工作再忙，事情再多也不能有家不归、有妻不思、有儿不管呀！他与她也总是夜半时分匆匆一面，无话可说，无情可表。

她还在等他，手中的书不知翻阅几个来回了，困倦使她频频垂首。有时，一觉醒来，曙光出现了，他还没有回来。她刚要出门上班，他却推门而入，急急忙忙吃点饭便又不辞而别。家庭对于他来说，简直连旅店都不如。

噢，今天回来得早些了，她热情地为他端上了亲手烹调的美味佳肴，满心高兴地坐在他的对面。但是，他却满脸倦容，肩上如同扛着整个世界。他终于开口了，但三句话不离本行，言必谈工作。他希望她能为自己解决点难题，可是，她对他的言谈却一无所知、毫无兴趣。于是，她只好缄口不语，脸上极力现出一丝强装硬挤出来的笑容，而目光却是茫然若失的。

这是为什么？难道他们的生活状况发生了急剧的变化？难道他们的爱情生活结束了吗？回忆的思绪将他们牵回到婚前的日日月月。

那时，他是一个活泼、干练、有抱负、有理想的青年。她与他相识了，共同梦想着幸福、欢乐，盼望着能永远生活在一起。

他们结合了，走在同一条路上，那是一条艰难的路。他们婚前的梦想得到了部分的实现，在婚后最初的年月里，分不清什么你和我，爱就是一切。那时，经济宽裕，生活内容丰富，彼此的感情和谐融洽，家庭中始终充满着欢欣的笑声。

爱情的果实诞生了。他们都喜不自禁，争着抢着看一眼小宝宝，都想为孩子的幸福献出一点力量。

可是，没过多久，这位年轻的母亲便发觉自己的丈夫已不是原来那样的人了，他变得对家、对孩子漠不关心了。他离家远去了，从清晨到夜晚，甚至彻夜不归。他整个都陷在工作中了。他笑了，那准是工作顺利，取得了成功；他皱起了眉头，那就是遇到了什么难题。是的，事业上的成功是甜美的，如果有人共同分享他成功的喜悦，那不是更为甜美吗？

丈夫沉浸在成功喜悦之中的日子，却正是妻子被家务缠得喘不过气的时候。她白天要工作，晚上做完了饭还要照看孩子。过度的劳累使她觉也睡不好，周身疼痛不已，心中烦躁不堪。家务事难道就活该由女人全包下来吗？买菜、做饭、洗衣服、看孩子，这些家庭琐事难道就与男人无缘吗？谁这样说过？哪个章程中这么写过？可是，人们似乎都是这么活过来的，难道这就是真理？

这种日子，说实在的，真够难熬的。

好吧，让生活的长河沿着它本来的流向去奔流吧！让夫妻们各行其是吧！其实，她不上班也不是不可以，把雇保姆省下来的钱用到生活上，自己在家里看孩子不是更好吗？但是她却又是不甘寂寞的。家务活再累，再烦，却都能在工作中得到补偿。时日一久，她觉得这个家庭便只余下那些久远的甜美的回忆了。

爱情似乎是在瞬间产生的，但是，真正成熟了的爱情却需要漫长的时间，如同一棵树，从下种、萌芽、舒枝、展叶、开花、结果直到成材，绝非是几年所能办到的。夫妻之间感情的培养亦绝非一朝一夕所能奏效的。它需要漫长的时间；需要了解，理解，更需要谅解和同甘共苦。

婚前母亲的嘱咐仍回响在耳边："孩子，假如你们小两口之间产生了纠葛，你千万不要陷进去，当心感情的裂痕刺伤了你的心！" 可是，现实生活毕竟与书上写的、影片中说的、母亲讲的相差甚远。谁知道每家都发生了一些什么事情？谁又能真正给予解决？还不是离婚了事。然而，离婚后的生活更难！每想到这儿，她的心就颤抖不已。不，她不应该光想自己，家里还有孩子！为了孩子的幸福和欢乐，做父母的就得强咽苦水。

她又问自己：他究竟是怎么回事儿？ 为什么就不把她们娘儿俩放在心上？他只知道工作，却丝毫也不愿用点时间，尽一点做丈夫和父亲的责任以消除家庭中无形的敌意和威胁家庭幸福的分歧？如今，阴云布满了家庭，暴风雨快要降临了！

她真不知道自己究竟应该怎么办才好？疑惑使她心事重重，担心使她心烦意乱！

一天，她带着孩子来到郊外漫步散心。突然，耳畔响起了一阵优美的歌声。她循声寻去，发现在小路边的果树林中，一位漂亮的女子手挽小篮，边摘果子，边愉快地唱着。只见她身着十分好看又很时髦的衣服，举止文雅。在果树下面，是一个长得很英俊的少年，那是她的孩子。这位漂亮女人的歌声拨动了她心中的琴弦。人们都说她是很会唱歌的，她的歌喉至今仍在打动着她的同事的心。但那似乎又是久远的过去的事情了，她丈夫嫌她唱歌使他难以安静地看书，她又有什么意思去唱呢？

她身不由己地移动脚步向那位女子走去，对她说："你的歌真动人！我想，你在生活中肯定会是很幸福的。"

她回答道："是的，是幸福的。在这样美好的日子里，我怎能不感到幸福呢？"

"我是说，你的婚姻生活幸福吗？"

"不！幸福这个词是不能用来形容我的婚姻生活的。在这个世界上根本就没有完完全全的幸福，幸福的大厦是难以建立在活动的沙漠之上的。我们周围的生活在活动，一切事物都在不断地变化着，人也不例外，与你最亲近的人更是如此。朋友，重要的是，我们首先要学会如何来对待别人，洞悉你最亲近的人的优点和缺点。你问我在生活中是不是很幸福，我可以告诉你，我是这个世界上最幸福的人。可是仅仅是现在，在这里，在果树林中，在孩子身边。可我不知道自己明天将会如何？也不知道几个小时之后会是什么样的心境？就是说，当我回到家里之后，他，将要向我提出什么样的要求？"

她很想继续听下去，不愿打断那位女子的话，可是她却低头不语了。

"你是做什么工作的？"

"我是个美术家。平时画画，画我酷爱的大自然，然后拿去卖掉，来养活我的孩子。"

“那，你的丈夫呢？”

“他是个商人，是个绸布商。我们已经结婚十五年了。我得承认，我曾爱过他，他也曾怀有同样的感情。但是，时日一久，我发现他把我视作一件买来的商品，随意使用，为所欲为。他变得很专横，甚至不许我父母来看我，更不许我去探望他们，连想都不许。可是，当我们有了孩子后，他却又迫不及待地去把我母亲叫了来，为的是侍候我们，就像是个女佣人。”

“你们俩如今仍彼此相爱吗？”

“当然并没有完全消失，因为我们俩都知道，夫妇之间的温情重新在生活中出现的重要因素，就是不要掩饰真正的感情。任何一位妻子都翘首企盼着不仅能看到，而且能听到那些温情的表示。”

“你是说，丈夫应该每时每刻地竭力表白他对妻子的爱情？”

“亦不尽然。对爱情的表达不必多言，更不必每天都向对方说：‘我爱你！’不厌其烦地单纯重复往往适得其反。其实，丈夫再忙，也可以抽出时间来对妻子表示一番温情。如，下班后，两人一齐动手做饭，吃过饭后，再一齐干‘事业’。这不仅不会影响情绪，反而会使彼此心情更加愉快，生活更为和谐。温存的语言是多种多样的，如‘你是否曾想过，我为有你这样的妻子而深感自豪！’‘你做的饭真好吃，真应该好好谢谢你！’‘你今天按时回来了，真叫人高兴！’等等。”

“你的丈夫会说这些话吗？他对你说过吗？”

“爱情，绝非是单方面的行为。”她沉思了一下，说：“爱情是夫妻之间的一所学校，两人共同在那里面学习，培养着彼此的感情，经受着波折和考验，不断地认识两人从未见过、甚至从未想过的新鲜事。我从自己不平凡的经历中切身体会到，要保持夫妻间的这种温情谈何容易？为了不使最初的矛盾和风波影响到这种温情的完美，要付出多么大的耐心和牺牲！在付出巨大的代价后，如今，我终于懂得了，夫妻之间的爱和温情绝不仅限于热吻和甜言蜜语，而更多的应该是充满胸膛的感情；是使彼此心心相印、相互吸引、永不分离的家庭环境和善意的心境；是使生活协调的共同努力，而不是对对方无尽无休的埋怨、猜疑和漠不关心。”

一席话，使她的心头顿觉轻松，在与那位女子握别后返回的路上，她在想，自己应如何更好地建设这个家庭呢？

## 玛格丽特·奥杜（陆炳熊/译）

法国女作家，幼儿时受公共救济团体的收养，在一个庄园当过女佣，后在巴黎以裁缝为业。1910年奥克塔夫·米尔博（Octave Mirbeau，1848——1917）作序，推荐她的以自己生活为题材的小说——《玛丽·克莱尔》。

# 未婚妻

一度过了几天假期之后，我要回巴黎了。

当我走进车站，火车已挤满了旅客。我发现靠近车门坐着的旅客旁边，有一个空座位，但上面放着两个大篮子，里面的鸡和鸭子把头伸在篮子外面。

我犹豫了好一会儿之后，决定走进车厢。我说，很对不起了，让我来把篮子移开。可是一位穿着工作服的农民对我说："小姐，请等一等，我就来把它们从这里拿开。" 当我把放在农民膝上的水果篮子提在手中时，他轻轻地把两篮家禽塞在凳子下面。

我坐下以后，坐在我对面的旅客问农民是否他把家禽带到市场上去卖。农民回答说：“先生，不是的。后天，我的儿子就要结婚，我把鸡鸭带来送给儿子。”

他脸上显出幸福愉快的神情。他看了看周围的人，仿佛要向所有的人们表达他自己的快乐。另外的旅客都留心倾听，他们似乎听了之后感到很高兴。只有一个老媪是例外，她占了两人的座位，枕着三个枕头，正在叱骂拥塞在车厢中的农民。

火车开动了。刚才说话的旅客开始阅读报纸。这时农民对他说：“我的儿子在巴黎，他是一家商店的职员，将和一位小姐结婚，她也是一家商店的职员。”

这个旅客把已经打开的报纸放在膝上，问道：“未婚妻美丽吗？”

农民说：“不知道，我还没有见过她。”

这个旅客有些惊讶，又说：“真的吗？假如她长得丑，使你不喜欢，将怎样办？”

农民回答：“这种事情可能发生，但我相信，她会使我们喜欢，因为我们的儿子很爱我们，他不会娶一个难看的妻子。”

农民的妻子又补上一句：“再说，既然她使我们的儿子腓力普喜欢，她也会使我们喜欢的。”

农民的妻子转过身来向着我，我看到她一双柔和的眼睛中充满着微笑。

她想知道我是否也去巴黎，当我回答说也是去巴黎时，这个旅客就开玩笑了。他说：“我打赌：这位小姐就是未婚妻，她是来迎接她的公公婆婆而没有介绍自己使他们认识。”

所有的眼睛都向我注视，我羞得面红耳赤，这时农民夫妇同声说：“唉！真是这样的话，我们将非常高兴。”

我向他们说明这完全是误会。可是这个旅客提醒他们，说我曾沿着火车走过两次，好像我是尽力找认什么人；又说我在登上车厢前是多么犹豫迟疑。

所有的人都笑起来，我在困窘中解释说，这个座位是我能够找到的唯一的座位。

农民的妻子说："这没有什么关系，你使我非常喜欢。假使我们的媳妇能像你那样，我将多么高兴。"

农民接着说："是啊，我们的媳妇最好能像你。"

这个旅客对于他自己的这番笑话感到得意，他带着开玩笑的样子看了我一眼后，对农民夫妇说：

"你们相信我没有弄错。当你们到达巴黎时，你们的儿子会对你们说：'这位就是我的未婚妻。'"

他说完后，放声大笑一阵，便往凳子里边一坐，开始专心读他的报纸了。

过了一会儿，农民的妻子完全转身向着我；她在她带来的篮子底层找寻一会儿，便拿出一块煎饼。她一面请我吃煎饼，一面对我说，这煎饼是她今天早晨亲手做的。

我不知怎样辞谢才好，只得采用夸大的方法，把伤风说成发烧，她才把这块煎饼放进篮子的底层。

接着，她又请我吃一串葡萄，我不得不接受了。

当火车在一个站停下时，我很难阻止农民下车为我购买一杯热的饮料。

我看到这一对好人一心只想爱他们儿子所选中的未婚妻时，自己因不是他们的媳妇而感到遗憾。他们的爱情使自己觉得多么温暖。我是孤女，从未见过父母的慈容；而和我一起生活的人，谁都对我漠不关心。

我惊异地看到他们的眼光时时注视在我身上，好像他们是在爱抚我那样。

到达巴黎时，我帮助他们把篮子从车上搬下来，并领他们向出口处走去。

我看到一个身材高高的青年向他们扑过来，用双臂抱着他们时，我就稍稍离开他们远一些。他热情地吻着他父亲，又吻着他母亲。

他们在前面走着，我在后面跟着。

他像他父亲，一双眼睛鲜明快乐，笑声爽快而响亮。

外面，天几乎全黑了。我撑起大衣的领子。我落在他们后面，稍离开他们几步路。这时，他们的儿子去雇一辆车子。

农民爱抚着一只美丽的花母鸡的头时，对他妻子说：“假如我早知道她不是我们的媳妇，那么我早就把这只花母鸡送给她了。”

“是啊！假如我早知道……”

农民的妻子向着已走出车站的长长人群做手势，眼睛望着远处说：“她已随着人群走了。”

正在这时，他们的儿子已雇到一辆车子回来了。他看起来长得身强力壮，性情温和，我想他的未婚妻一定是很幸福的。

他们的车子消失在黑暗中，于是我沿着每一条街道慢吞吞地走去。孤零零的我不由自主地回到了自己的房间。

我已二十岁了，还没有一个人来向我谈过爱情。

# 酒坊

JIU FANG

万伯翱：美酒壮哉万里行

红　柯：诗酒话茅台

赵守玉：丁老师与茅台酒

刘荒田：醉

赤水河老酒坊即景

万伯翱

中国网球协会、中国钓鱼协会副主席，中国传记文学学会会长，曾任国家体育总局人力资源发展中心主任。已出版散文集、传记等约20种，影视作品有《三个少女和她的影子》《少林将军许世友》《侠女十三妹除暴》《贺帅钓鱼》等。

# 美酒壮哉万里行

父亲万里1916年腊月生辰，属大龙。2016年12月5日中共中央在人民大会堂为他百年诞辰举行了隆重的座谈会，习总书记高度评价了这位“久经考验的忠诚的共产主义战士，杰出的无产阶级革命家、政治家，党和国家的卓越领导人”，铭记他为共和国和人民建立的功绩，学习他廉政的崇高风范；尤其在改革开放中时刻把人民冷暖放在首位，首先解决了“文革”的重灾区安徽农民的吃饭问题，使上世纪70年代末九州人民喊出了心声“要吃米找万里”！这真是“金杯银杯不如老百姓的口碑”。

说来也有趣，老人家一生在革命战争和社会主义建设中与酒有缘。每当他经历人生的重大事件时，几乎都有酒相陪伴。我至今记得，父亲 1949 年参加刘邓大军五兵团南下进军南京又转战大西南后，1950 年的春节是在重庆欢庆的。那时他担任西南军政工业部长，才三十几岁，年富力强，英姿勃勃。为剿匪和镇压隐藏各地的特务及反动黑势力和恢复被国民党撤退时大破坏的工业建设，日夜奋战奔忙。在重庆春节宴会上，他和刘伯承、邓小平一起畅饮了“运输大队长”蒋介石提供的战利品——茅台美酒，以庆祝我大军解放大西南的胜利。这是他从硝烟弥漫的解放前线到西南后，第一次品尝醇香茅台，从此就和茅台结下了不解之缘。一次我随父亲乘坐美式吉普车去贵州，车上还有全副武装的警卫人员，因为云贵高原大山中还有不少国民党撤退时留下的武装土匪。当时贵州省的军政领导开国上将苏振华和杨勇，就是用茅台酒来招待父亲的。那浓郁的酒香，战友们胜利后的重逢，让我们至今都能记起开怀大笑的声音和开瓶时的浓香扑鼻呢。

1953 年春节开始，父亲又被中央先后调进中央建筑工程部和城市建设部，担任主要领导职务。部里每当宴请重要外国客人，和他在“五一”“十一”被总理邀请参加国宴时，都有国酒茅台招待，以示宴请主人的隆重和诚意。

1958 年，已被周总理调入北京市担任第一副市长和市委书记处书记，为完成党中央提出的迎接十年大庆建设北京十大建筑光荣任务，作为副总指挥的父亲（周恩来总理为总指挥），以“百年大计质量第一”为宗旨，在首都各个工地进行“三结合”讨论研究，昼夜现场指挥，事无巨细，都必亲躬，创造了 10 个月完成世界建筑史上的奇迹。难怪母亲感叹：“古时候伍子胥过关一夜愁白了头，你爹为盖好这大会堂，那大梁上不去时也愁白了头，还掉了 10 斤肉呢！”在那些激情燃烧的岁月，他几乎每礼拜都要和总指挥周总理见两三次面，当面汇报并研究解决工地上出现的各种难题。父亲回忆说：“虽然那时候我们和周总理都年富力强，但责任太重大，时间又如此紧迫；我和总理日夜奔忙操劳也都感到十分劳累。我和总理有时顾不了按时吃饭，就自掏腰包到北京饭店要点小菜、吃碗馄饨，有时就用自带的茅台酒互致慰问。总理高兴了，有时能喝掉四两半瓶呢！

“四人帮”横行时，没有茅台酒喝了，父亲还被扣上“反革命修正主义黑帮分子”等大帽子关进了大狱。1976年金秋十月，传来粉碎“四人帮”的消息，家家户户喝酒庆祝。北京许多家庭都买了“三公一母”螃蟹，伴着二锅头和五星啤酒大快朵颐，互相把各色杯子碰得当当响呢。父亲也在医院得到王震派儿子特别报来的喜讯，很快出院回家痛饮茅台，和全国人民一起欢庆伟大的胜利。酒香还引发了诗情豪逸，欣然吟唱：“对酒当歌，慨当以慷，不似孟德，胜似曹公……”

中国有位少林出身又是“茅台迷”的将军，那就是开国上将、时任南京军区司令员的许世友。许世友不仅自己能喝，还常常拉别人陪喝，酒桌上强劝硬灌为乐事，弄得许多人受不了，他们就去周恩来那里告状。周恩来开会时就把这位老战友请来让他喝够，败在总理杯下，然后就谆谆劝导他注意酒风，酒桌上今后不要再强加于人。上世纪80年代中期，父亲路过南京，许世友将军热情设宴，想试试父亲的酒量，特从家中取来珍藏了好几年的茅台陈酿，哪知道父亲是位出生在山东水浒东平水城的海量好汉，俩人痛痛快快喝了一局，每人喝光了一瓶。许将军觉得酒逢知己千杯少，面孔上泛着红光，脚踏麻绳耳鞋微颤着身子站起来，喜笑颜开拍着常务副总理的肩膀，连呼“万里同志你还真够朋友”！还特地合影留念，并把照片放大好几尺挂在客厅，时时念道万里为他的海量好友呢！

父亲酷爱茅台的名声很快传了出去，2002年金秋，在北京举行的“茅台杯第五届全国新闻界网球大赛”上，贵州省龙超云副省长还专程来京，敬赠给他一瓶珍藏了50年的陈年佳酿，时任茅台酒集团的袁仁国董事长，也特地为他颁发了“终身热爱茅台酒健康老人”荣誉证书。

这里我们需要说明一下，作为党和国家领导人，父亲所爱的不仅仅是茅台。在安徽主政时，他在繁重的工作之余，常在家里喝本地生产的“古井贡酒”，并且多方了解其生产状况并给予较高评价。此酒解放后名列中国十大名酒，也是在父亲主政安徽期间，因给予有力支持使其保持了优质且产量不断得到提升。于1979年改革开放后多次获得“中国八大名酒”之一的光荣称号。现在每年都有举行祭拜酒神魏王曹操的隆重祭礼。

除了茅台和古井贡，中国八大名酒老爷子也都品尝过，他的评价是：各地名酒都具有特色，各有独特魅力，都要做到保质保量供应人民所需。但他自己最青睐的还是国酒茅台，所以2016年12月1日他移灵安葬北京八宝山公墓时，作为长子我特送进了两瓶陈酿茅台陪伴他长眠九泉。1980年，父亲从皖调到中央。在政府部门相继担任国务院常务副总理、代总理、国家农委主任、全国绿化委员会主任等职务，1988年当选为第七届全国人大常委会委员长。那些年，他与各界人士交往，走的地方很多，对各地的酒品都能够欣赏、容纳。拿他的话来说，只要是经长期历史考验的好酒，各地人民都会喜欢。除了白酒，也喝啤酒。也许是出于乡情，他偏爱喝山东的青岛啤酒，数十年不变。

后年来，随着国家进一步改革开放，市场繁荣，他也开始关注洋酒。有时朋友或儿女们带来国人过去见不到的“XO”“路易十三”等，他一是感到新鲜，二是盛情难却，欣然开瓶品尝。还有来自荷兰和德国等地的大牌啤酒，他都尝了，虽然这些酒都得到了他的赞许，但大家心里明白，这是客气话，他之最爱，仍然是中国的茅台酒和山东家乡的青岛啤酒。他自己也说：“没办法，最爱中国这两样，品质和独特的风味就是好呀！”

他之所以钟情中国酒，是因为那里面积淀着中国千年以上的文化，凝聚着从古至今的智慧文明。他在品酒，同时也是在品味着自己几十年的激情燃烧的战斗人生。他不会忘记当年母亲在战争年代捧出带着体温的家乡水酒，为他参加战斗壮行去解放全中国，激励着他去搏击人生；他也不会忘记每当遭遇困境，酒总是能鼓起他的战斗勇气，点燃起他周身的热血，点燃起他的“雄关漫道真如铁，而今迈步从头越”革命的钢铁意志和斗争豪情，使他以一个共产主义战士大无畏的精神去克服一个又一个艰难险阻，尤其在有特色的社会主义道路上替农民争权益，为国家大众谋福利，是他终身奋斗目标。

世纪老人万里的传奇人生和不凡业绩，已经成为镌刻在人们心中的一座丰碑，那丰碑还带着特别的浓郁酒香，沁入每一个怀念他的人的心脾，飘向万里中华。

## 红　柯

原名杨宏科。中国作家协会会员，陕西作家协会副主席。他先后获得首届冯牧文学奖、第二届鲁迅文学奖、第九届庄重文文学奖、首届中国小说学会长篇小说奖等多项大奖，是全国最受欢迎的小说家之一。

# 诗酒话茅台

乘飞机到重庆，再坐长途汽车奔贵州，沿途全是隧道和桥，真正见识了贵州的群山。大西南多山，但四川与云南还有相当的盆地，贵州全是山，而且都状如利剑直指苍天。毛泽东最好的诗词全写在长征路上，仅在贵州就有《娄山关》《十六字令》三首。十六字令在古代也很少，全文三句仅十六个字。后来读到日本的俳句，更精悍，也是三行。我讲授写作学，我认为写作也有一个经济学原则，投入最少赢利最多，把这个原则运用到写作学就是用最少的文字表达最多的意思。俳句是从唐人绝句中发展过来的，用的文字比绝句更少。十六字令大概是最短小的词了，有民歌色彩，属于竹枝词。毛泽东用最少的文字来描写连绵起伏的群山，大概也是一种独特的生命体验，因为当时的红军从三十万变成了二万，到了临界点。其中的句子如“快马加鞭未下鞍，惊回首，离天三尺三。”“刺破青天锷未残，天欲堕，赖以柱其间。”毛泽东青年时的《沁园春·长沙》的结尾也这样写过：“到中流击水，浪遏飞舟”，那是他的宏愿，“粪土当年万户侯”，要做“中流砥柱”。长征时毛泽东正当壮年，来到云贵高原也就是地理学上所谓的中国地形的第一个台阶到第二个台阶之间，“刺破青天”，“赖以柱其间”，成为了天地之柱。六七个小时的漫长山道上，我把早年读过的毛泽东的诗句与诗中所写的群山一一对应，就不仅仅是身临其境了。

在遵义待了一天，赵剑平带来了茅台酒，我也只是象征性地抿一下。我已经五六年不喝酒了。参观了遵义会议纪念馆，是一个军阀的宅子，我跟中国社会科学院的叶廷芳先生找毛泽东住过的房子，小楼上有周恩来的、彭德怀的、朱老总的，就是找不到毛泽东的，我去找工作人员打听，小姑娘说：毛主席没有在这里住。我和叶先生就猜测毛泽东当时刚刚获得发言权，大概跟战士住在一起，不是篝火旁就是露宿在哪块石板上。

这次活动的终点是赤水河边的茅台镇，红色之旅与中国最好的酒厂奇妙地结合在一起。我生长在关中农村，后来又在技工学校工作十年，经常带学生下工厂实习，新疆的烟厂、酒厂、锅炉厂、机械厂都有我的学生，农村、工厂、学校我都比较熟悉。参观酒厂时我就格外注意茅台酒的生产工艺，其中两个环节很重要，即开放式发酵与封闭式发酵。我脑子里马上闪出《易经》的太极图式，即阴阳两极，一阴一阳谓之道，太极生两仪、两仪生四象、四象生八卦，宇宙天地全都包含在八八六十四个变化无穷神秘莫测的符号里。封闭式发酵把酒醅深埋于窖中，吸大地之阴灵，开放式发酵把酒醅堆放在地面，采纳天的阳气，通过蒸馏，化天地的精气神韵、五谷的精华营养为玉液，万物又归于一，合乎道家的“道”。茅台酒不可易地生产，因为不能带走茅台镇的阳光空气，风土万物，不能在大地上克隆一个“茅台镇”。茅台酒含有的有机化合物不仅仅是一百七十种，还有许许多多科学仪器无法测定的复杂成分，这又合乎《易经》对天地宇宙形象而又抽象的演绎。茅台酒完全是一种东方哲学、东方智慧。地中海文明有希腊神话，其中有大量的有关葡萄与葡萄酒的描写，《荷马史诗》中用葡萄酒的颜色形容落日染红的蓝色的地中海波涛。《易经》就是中国的创世纪，是中国的原始史诗。先秦思想的源头就在《易经》中，由《易经》过渡到《老子》，《老子》可以说是诸子百家的大纲，由《老子》分化出孔子的儒与《孙子兵法》，即阴性的文与阳性的武，再分化出百家思想，这些带“子”的先贤相当于希腊神话中的众神。欧洲文明有古希腊，有文艺复兴、启蒙运动、法国大革命、工业革命、地理大发现，贯穿其中的就是人的大自由大解放，同样也是葡萄酒和啤酒的历史。中国有所谓周秦汉唐的辉煌，有所谓的先秦思想、魏晋风度、五四精神，贯穿其中的也是人的大自由、大解放，同样也是一部酒的历史。酒几乎与中国的农业文明同步，酒的始祖杜康一点不亚于老子、孔子。魏晋风度与酒的关系更密切了，竹林七贤，酒徒刘伶以及唐诗的顶峰诗人李白历来是酒家的活广告。竹林七贤中的嵇康是鲁迅先生心仪的人物，鲁迅的艺术格调直接魏晋。魏晋是中国人文学意识自觉的时代，直接的结果就是为盛唐作了准备。鲁迅在五四这个大时代，把他的艺术之根扎在魏晋是很有意思的。鲁迅给我们留下了校勘完美的《嵇康集》，给我们留下了妙趣横生的《魏晋风度及文章与药与酒之关系》。

五四与先秦与魏晋的最大区别是文明的挑战。中华民族五千年历史上的危机基本上是政治经济军事层面，华夷互动，但中华的文化优势岿然不动。鸦片战争以来的百年历史最要命的是我们遇到一种前所未有的优势文化，军事经济政治一系列改良一一失败，大清王朝也玩完了，民国完全是历史过渡，中国需要一种文化革新。20 世纪初的几个事件是有其内在联系与象征意味的。殷墟的发现，西域以及敦煌的发现，茅台酒在巴拿马国际博览会获金奖，而且摔瓶子的举动，我理解不错的话应该是打烂以至碎为粉末，才能显露出我们的本性，显示出我们的生命力与创造力。从鸦片战争以来就是从外到里的粉碎过程，现在我们自己粉碎，我们自己显示我们自己，当酒香冲天而起的时候，五四运动很快就开始了，显示我们的思想风度精神的大时代来临了。中共的领袖人物基本都是些文化人，五四产生的文化人与草根民间的农民、工人、士兵的有机结合发酵，从封闭的底层到阳光下多次发酵就是一场伟大的革命。

近代史很有意思，挑战来自海洋，广东得风气之先，康梁孙中山就属于开一代风气之伟人。必须深入腹地，就到了湖南。湖南从明末清初国破家亡之际就出现了王船山，王船山的直接传人就是曾胡李左，就是黄兴、宋教仁、蔡锷，就是与之紧密相连的毛泽东。所以，湘江惨败后的红军来到贵州也是上天有眼。中共的拜师学艺阶段在贵州结束后，开始本土化了，开始独立自主了。据说国民党军队的飞机在这里炸坏了红军的电台，中共与莫斯科与共产国际的联系中断了。长征历时一年，也是中共与红军独立发展的一年，到了延安、有电台了，又联系了，中共与红军已完成熟了、长大了。王明也回来了，毛泽东去机场接王明时很有意思：“欢迎啊，天上来的客人。”王明以及二十八个半海归派，基本上是天外之物，是空中飞人，与大地不粘连，没接上地气，没有发酵，是夹生饭。贵州在中共历史上的意义太大了。敌我双方的各种记载都证明，红军把茅台镇上的酒喝光了，周恩来后来对尼克松回忆长征，红军把茅台酒当药用。湘江一战，几十万红军仅存二万多，可以说是遍体鳞伤了，茅台酒可谓良药，恢复元气，医治伤口。在国际上得过金奖的最好的美酒，把古老民族的自由精神与创造精神全都贯注到这支正义之师身上。毛泽东的诗歌艺术在这里也达到了炉火纯青的地步。毛泽东的诗词大致可以分三个阶段，长征前、长征途中、长征后。长征前的代表作就是《沁园春·长沙》，是抒发宏愿的。最好的作品写在长征途中，也应了传统文论所说的诗穷而后工。

中国诗歌几乎与酒共存。李白诗歌的核心意象就是酒与月亮。杜甫以至唐代诗人全是伟大的酒徒。唐诗的主要特征就是自由与创造，就是《易经》中所说的“天行健，君子以自强不息”的创造精神。

我的家乡岐山是周王朝的龙兴之地，但周人并不是岐山土著，而是从武功迁北方，转战到岐山。周原一下子兴盛起来了，即所谓凤鸣岐山。周文王演《周易》是有原因的，《易经》夏商就有了，即连山、归藏，到周文王更系统更完整地固定下来了。周人在与戎狄的战争中，屡战屡败，在一次次惨败中反复迁徙。根据岑仲勉先生的观点，周人的祖先最早在西域塔里木盆地，很早就有了绿洲农业，周人东迁、北征，基本上是易经的太极图式。《诗经》里的《公刘》基本上是周人的民族史诗，是周人的《伊里亚特》，《七月流火》就是周人的《奥德赛》，前者是转战，后者是寻找并建设家园。周人的一个分支封于毛，就是毛氏的远祖，岐山现在尚有毛公寺，后来南渡就是湖南毛泽东的一支。秦腔的某些声调与西域木卡姆相同，也与湖南的地方戏曲与方言相同，陕西古周原吃辣椒，一点也不亚于湖南人。毛泽东可以说是周人的后裔，长征到达陕北，算是“寻根”来了。周人灭商后，殷商的一个分支从东夷北上西迁至渭河源头，与西戎融合，成为周王朝的牧马人，西周灭亡，东迁洛阳，这支殷商的遗民在西周的废墟上迅速崛起，这就是秦人。五百年耕战，一统天下，秦始皇显示了秦人的力量，也暴露他的远祖殷商的缺点，殷纣王的影子几乎与秦始皇合二为一。秦王朝完成了政治军事的建设，却没有文化。楚亡于秦，但楚有屈原，《楚辞》在战国中后期超过了北方的《诗经》，楚国在政治军事上败了，但在文化上处于领先的地位，就有复兴的可能。秦失其鹿，其他几国都不行，楚人却再次兴起建立强大的汉朝。陕西人司马迁骨子里是一个浪漫主义者，李长之先生有专论，整个先秦文化归于《史记》。毛泽东的《沁园春·雪》把秦皇汉武归为略输文采是有道理的。

我觉得没有必要把茅台酒的历史说得那么久远，但茅台酒绝对是后来居上，是在中原衰落以后成为龙头老大成为国酒的。欧洲的历史也是如此，文艺复兴于意大利，政治革命于法国，殖民扩张地理大发现于西班牙荷兰，工业革命于英国，科技革命于德国，整个欧洲也衰落于德国，所以施本格勒早早预言了《西方的没落》。中国的文明也是如此，周秦汉唐兴于关陇，后来就转向东南了，宋元明清东南也衰落了，大西南这块沉睡的土地保持了中华文明的创造力，在20世纪初以美酒的形态出现在全世界面前……

我在西域十年，不止一次醉卧草原，最长的一次三天后才清醒。草原的空气、羊肉、气氛，让人的酒量大增。回到内地基本上不喝酒了，没有了草原的气氛，喝酒就是受罪。现在，我来到云贵高原，首先感受到的是清新的空气，加上一帮好朋友，我开戒了，喝了八杯，还喝了茅台啤酒，我又回到西域草原的自由豪迈的气氛中了。

赵守玉

黑龙江省绥化市人，已发表文学作品300余万字，代表作《父亲头上的草末儿》等。

# 丁老师与茅台酒

马儿崖村地处深山，交通不便，穷困落后，全村人一年也难得出过几回山，也就没见什么大世面，所以当村长冯贵富从包里取出那瓶茅台酒时，全家人的眼睛都直了。

正在村小学读三年级的冯根根用手摸着茅台酒那精美的包装盒："爹，这是好酒？"

"对呀，茅台嘛，是中国最有名的酒了，一般人可喝不起呀。"

冯根根一下子抱起茅台，往外就走。

冯贵富一把拉住他："你要干啥去？"

“丁老师喜欢喝酒，可他没喝过茅台酒，那天我们问他有什么愿望，他说等我们长大了，能请他喝一回茅台酒就成了。我想把酒送给丁老师。”

冯贵富劈手夺下茅台：“啥东西都想送人呢，你知道这酒多贵吗？我可是把咱家那大件卖了才换来的，我都没舍得喝呢，你倒要送人！”

“丁老师多累呀，几十个孩子就他一个老师，再说今天是他的生日。”

儿子说的话没错，冯贵富其实比儿子更清楚丁老师。马儿崖只有一所小学，方圆几十里的孩子都到小学上学，可由于条件艰苦，先后几个来支教的老师又都离开了，所以这么些年学校里就一直只有丁老师一个人。丁老师是又当校长又当老师，每天都是从早忙到半夜，头发早就白了，没让一个孩子掉过队辍过学。马儿崖的人特别尊重丁老师，冯贵富也经常和丁老师沟通，也想多帮帮学校的忙，可他心有余力不足，许多事儿只能是遗憾。他拍了拍儿子的脑袋：“小根，爹不知道今天是丁老师的生日，可这茅台酒爹有大用处，不能给丁老师喝了，一会儿爹去给丁老师过生日。”

冯根根看了几眼茅台，没说话，撅着小嘴坐到了一旁。

冯贵富说到做到，他把茅台酒交给老婆，然后提起家里的散白酒，又拿出那块腊肉，推开门，向丁老师家走去。

冯贵富刚刚走到丁老师的家门口，门一开，一个人风风火火冲了出来，冯贵富躲闪不及，一下子被撞倒在地，手里的酒瓶摔了个粉碎，他勃然大怒：“你怎么走路呢？咋不瞅着点儿？”

那人看清了冯贵富，一把抓住他：“村长，快，快进屋，我正要去找你呢，老丁他……不行了！”

冯贵富这才看清，冲出来的人是丁老师的老婆，他浑身一抖，三两步闯进了屋。屋里，丁老师脸色发青，直挺挺躺在炕上，眼见有出的气儿没有进的气儿。

“丁老师！”冯贵富一步抢到床前，“你感觉咋样？”

“刚要吃饭，他说心里堵得慌，头又晕，我就扶他躺一会儿，可……”丁老师老婆喃喃地说。

“快，你快去叫人，咱们连夜送丁老师出山去医院。”

丁老师使足力气摇了摇头，嘴巴张了几张，冯贵富急忙把身子伏下去，耳朵贴近了丁老师的嘴巴。丁老师一下子抓住冯贵富的衣服：“村……村长……学……学校……”

话没说完，丁老师的手便软了下去。

“丁老师！”冯贵富悲叫一声，一下子跪倒在丁老师的床前。

马儿崖唯一的老师，在自己的生日，离开了人世。

丁老师走了。马儿崖村以最隆重的规格，为丁老师举行了葬礼。几乎所有的人都来到灵棚前，为丁老师上一炷香，磕一个头。冯贵富通红着眼睛，慢慢拿起酒瓶：“丁老师，听孩子说，昨天是你的生日，我本打算是给你过生日去的，可你……喝杯酒吧，全村老少爷们儿忘不了你！”

“丁老师！”随着一声悲叫，冯根根泪流满面跪倒在地，“丁老师，我们都发过誓了：一定要好好学习，长大了有出息，我们天天请你喝茅台酒。可你咋走了，我们还没长大还没出息呢！丁老师！”

孩子的一声悲叫，眼泪又从所有大人的眼眶里滚出。

“丁老师，我们想你，你就喝杯茅台酒吧！”冯根根说着，从怀里拿出了那瓶茅台。

冯贵富一愣：“你……谁让你拿出来的……快给我！”

“是我偷出来的！”冯根根擦了下眼泪，“昨天我要送给丁老师，你不答应。可现在丁老师死了，他再也喝不着了，你就给他喝一杯行吗？就一杯。算我借你的，等我长大后，我还你一百瓶茅台，行吗？”

“不行！”冯贵富一把夺过茅台，“这酒一口都不能动！”

“丁老师！”冯根根一下子扑到了老师的棺材上。

“贵富呀，这酒咋就那么金贵，给丁老师喝一口成吧？”

“我们拿钱买你的茅台，成吧？”

大伙儿扶起冯根根，七嘴八舌地说着。

冯贵富眼含热泪看着众乡亲：“乡亲们，你们不知道这茅台是干什么用的，我不让动不是我要喝，因为它有用呀！半个月前，丁老师又找到我，说他年纪越来越大了，身体也越来越差了，可学校咋办？马儿崖的孩子咋办？他求我去找找乡上找找县里，无论如何也要派个老师来。我去找了乡里，乡里没办法。我去找了县教育局，可教育局也派不下人来，局长说没人愿意来咱这儿，都嫌咱这太穷太偏太落后，就是硬性派人下来，可他们不好好教或者总泡病号，那根本不起作用。我一再求局长想想办法，他寻思了老半天，说再研究研究吧。我就多方打听，听人家说，局长喜欢茅台酒，所以我就把我家里的大件卖了，买了这瓶酒，寻思这几天再去找找局长，叫他不管咋样也给咱派来一个真心教咱的老师呀，可酒还没送出去，丁老师就……我也想把酒给丁老师，其实只有他配喝这茅台。可是不能呀，因为这酒一开封就没法儿给人家送了，那咱马儿崖啥时候能来老师呀？！所以，为了咱马儿崖能有老师，为了咱马儿崖的孩子，也为了丁老师临终的愿望，这酒，咱不能动，丁老师，乡亲们，小根，原谅我吧！”

众人哭成了一片。

“丁老师！”随着话音，一个老人走了过来。

冯贵富一抬头，不由愣了：“平局长？你怎么来了？”

来的人正是县教育局平局长，他叹了口气：“我也是刚刚听说丁老师走了，我来送送丁老师。”

平局长说着来到丁老师的灵前，拈起一炷香，慢慢点燃，双手插进灵前的香炉里。然后跪下，恭恭敬敬地向丁老师磕了三个头。随后，向冯贵富伸出手来：“酒！”

冯贵富一愣：“平局长，这酒……是……”

“我知道，你不是要送给我的吗，那就拿过来。”

冯贵富把酒递到了平局长的手上。平局长打开茅台，慢慢斟满一杯，抖着手洒在灵前：“丁老师，乡亲们说的没错，这茅台，只有你配喝。我不知道冯村长要送我茅台，求我给他派老师。说实话，我也不配喝这茅台，这个教育局长我不够格。”

冯贵富和众人待在那里，一句话也说不出来。

平局长又斟满一杯酒：“丁老师，我再敬你一杯酒，其实应该是马儿崖乡亲们敬的。你放心吧，老师我已经给你带来了。”

一个年轻人走了过来，平局长看了看大家：“这是姜老师，他从师范大学刚刚毕业，他决定来马儿崖村，从今以后，他就是马儿崖的新老师。”

所有人全愣住了，天地间静得出奇，只剩下了众人的呼吸声。老半天，众人一下子反应过来：“平局长，谢谢，谢谢你！”

平局长摆了摆手，闭了闭眼睛，又摇了摇头。

冯贵富急忙斟满酒：“平局长，姜老师！”

“这酒应该献给马儿崖的老师！”平局长看了看姜老师，“这是马儿崖乡亲的一片心呀！”

姜老师双手接过酒：“谢谢乡亲们！”他慢慢转过身，“丁老师，您放心地去吧，我姜仲国一定要把马儿崖的孩子教好，绝不会半途而废！”说完，把酒轻轻洒在了地上。

众人呆愣了一下，继而响起了雷鸣般的掌声。

丁老师下葬了。平局长和姜老师一起把丁老师送进了地下。

安葬完丁老师，平局长又到了小学，看了许多，和冯贵富谈了许多，下午，离开了马儿崖村。姜老师和冯贵富把平局长送出山，平局长看了看姜老师：“小姜呀，我就要回去，剩下的就要考验你了，过来，我和你说几句话。”

姜老师和平局长走到一旁，他看了看平局长，小声说道：“爸，不用叮嘱了，放心吧，我一定会干好的。”

平局长点了点头：“你妈是老师，你现在也成了老师，我相信，你这个姜老师一定会超过你妈那个姜老师！”

“放心，我一定会把这些孩子送出大山，让他们都带着茅台酒，回来给丁老师上坟！”

平局长点了点头：“回去吧！”

姜老师走到冯贵富的跟前，又扭头看了看父亲，和冯贵富一起向大山里走去。

平局长静静地站在那儿，目送儿子一步步走进巍峨的群山，使劲儿地挥舞着手臂。

## 刘荒田

原名刘毓华，1948 年出生于台山，早年当知青，在乡村教书，1980 年移居美国，创作生涯始于新诗，近 10 年来钟情散文随笔，现任旧金山"美国华文文艺界协会"会长，已出版诗集《北美洲的天空》《异国的粽子》《旧金山抒情》《唐人街的地理》共 4 本以及散文集两本。

# 醉

一位朋友问我，为何从来不写喝酒，醉酒？我想想，倒也是，因为我不怎么喝酒。我的这一短板，20 年前就被一位诗人朋友指摘过："从来没醉过，写个屁呀！"是啊，我当不成好作家，一个原因就是和酒精无缘。

醉，这辈子只有过一次。距今近 50 年的 1969 年，当躬耕垄亩的知青。春天，乡亲的女儿出嫁，邀我去喝喜酒。那年代，肚皮都塞不饱，垄断酒业的供销社只卖掺和酒精的番薯酒，味道不怎么样。我经不住乡亲苦劝，灌了大半碗。新娘子这头被迎亲的自行车接走，我便倒在床上。不是烂醉，而是难受，仿佛有壮汉挥十八磅铁锤一下一下地敲打太阳穴，嘭嘭然。恨只恨醉得不“烂”，瞪眼半宿，忍受有节奏的折磨。从此对酒敬而远之。还逐渐地，对酗酒形成生理的厌恶。自找罪受，还有比这更混蛋的吗？

不但心向往之，也尝试过。但不敢公开，但凡赴正式非正式宴会，我都限于浅尝，为了怕被灌醉出糗的缘故。岁暮天寒，风声嘶吼，独自在家，读了会儿杜诗，想了阵子心事，打开一瓶茅台或五粮液（天晓得是不是假货），倒满迷尔瓷杯，仰脖灌下，挟一块卤猪头肉止呛。三杯后，脸酡红，心跳怦怦，脑子响起“锤击太阳穴”的预警，马上停下。这样的试验有过几次，结论是不好不坏。但总是把酒忘记掉，即使来了客人。愧对酒柜里的“人头马”和“行者尊尼”，买下已一二十年。李白诗教我们知道喝酒何等痛快，这种唾手可得，也未必是昂贵的享乐，我错过了。可惜吗？遗憾吗？有一点。但我拿酒后呕吐狼藉，醉驾，乱性，来抵挡朋友们惋惜的目光。最新的例子是今天，美国某州的高速公路上，一人骑白马驰骋，被巡警拦下，查出他体内酒精浓度超出两倍。“白马”缺的是潇洒的“王子”。

如果把人生的快乐定于“发掘潜能”，那么，我在“能喝多少酒”一项，得分近于零。但我不是滴酒不沾，只是远远未到微醺就停杯。也不是沾唇辄醉，我父亲26岁那年，和好友打赌，晚上一个人灌下四瓶一斤装“永利威”（一种威士忌），脸不改色，步行回家，洗澡，就寝。反倒是打赌者越想越怕，半夜来敲我家的门，看有没有发生酒精中毒。问题是，即使父亲的酒量能遗传，我也闲置，弃置。好在，套鲁迅的话：挽联写得好无非是挽联写得好。能喝酒也无非为烟酒专卖行业多贡献了钱财，尽管国内兴大吃大喝那阵，好些豪饮者被当成单位的选手或压阵的。

尽管这么说，除非我发老来疯，“从未醉过”的记录谅可继续保持。想反悔，想补救，也为时已晚。上世纪90年代曾被某诗刊列为“中国十大诗人”的纪弦先生，活了100岁，生平贪杯，留下醉酒逸闻无数，他生前多次对我澄清：“我的诗都是不喝酒时写的，醉了哪能写？”